O MAIS IMPORTANTE PARA O INVESTIDOR

O livro é a porta que se abre para a realização do homem.

Jair Lot Vieira

HOWARD MARKS

O MAIS IMPORTANTE PARA O INVESTIDOR

Lições de um gênio do mercado financeiro

PREFÁCIO
Henrique Bredda
Sócio da gestora Alaska Asset Management,
engenheiro pela Escola Politécnica da Universidade de São Paulo (USP).

TRADUÇÃO
Daniel Moreira Miranda

Copyright © 2011 Columbia University Press.

This Portuguese edition is a complete translation of the U.S. edition, specially authorized by the original publisher, Columbia University Press.

Copyright da tradução e desta edição © 2020 by Edipro Edições Profissionais Ltda.

Título original: *The Most Important Thing*. Publicado originalmente nos Estados Unidos em 2011 pela Columbia University Press. Traduzido com base na 1ª edição.

Todos os direitos reservados. Nenhuma parte deste livro poderá ser reproduzida ou transmitida de qualquer forma ou por quaisquer meios, eletrônicos ou mecânicos, incluindo fotocópia, gravação ou qualquer sistema de armazenamento e recuperação de informações, sem permissão por escrito do editor.

Grafia conforme o novo Acordo Ortográfico da Língua Portuguesa.

1ª edição, 6ª reimpressão 2025.

Editores: Jair Lot Vieira e Maíra Lot Vieira Micales
Consultor para obras de Finanças e Economia: Luigi Micales
Coordenação editorial: Fernanda Godoy Tarcinalli
Produção editorial: Carla Bitelli
Edição de textos: Marta Almeida de Sá
Assistente editorial: Thiago Santos
Preparação de texto: Thiago de Christo
Revisão técnica: Bruno Nunes Medeiro, Kátia Lopes Kazedani e Thiago Gonzalez
Revisão: Cátia de Almeida
Diagramação: Estúdio Design do Livro
Adaptação da capa da edição original: Marcela Badolatto

Dados Internacionais de Catalogação na Publicação (CIP)
(Câmara Brasileira do Livro, SP, Brasil)

Marks, Howard.
   O mais importante para o investidor : Lições de um gênio do mercado financeiro / Howard Marks ; prefácio de Henrique Bredda ; tradução de Daniel Moreira Miranda. – São Paulo : Edipro, 2020.

   Título original: The Most Important Thing.
   ISBN 978-65-5660-020-8 (impresso)
   ISBN 978-65-5660-021-5 (e-pub)

   1. Análise de investimentos 2. Investimentos I. Bredda, Henrique. II. Título.

20-47256   CDD-332.6

Índice para catálogo sistemático:
1. Investimentos : Economia : 332.6

Cibele Maria Dias – Bibliotecária – CRB-8/9427

São Paulo: (11) 3107-7050 • Bauru: (14) 3234-4121
www.edipro.com.br • edipro@edipro.com.br
@editoraedipro   @editoraedipro

*Para Nancy, Jane e Andrew,
com todo o meu amor.*

Sumário

Prefácio, *por Henrique Bredda* 9

Introdução 16

1. O mais importante é... o pensamento de segundo nível 21

2. O mais importante é... entender a eficiência do mercado
(e suas limitações) 27

3. O mais importante é... o valor 36

4. O mais importante é... a relação entre preço e valor 45

5. O mais importante é... entender o risco 52

6. O mais importante é... reconhecer o risco 67

7. O mais importante é... controlar o risco 78

8. O mais importante é... estar atento aos ciclos 87

9. O mais importante é... estar ciente do pêndulo 94

10. O mais importante é... combater as influências negativas 101

11. O mais importante é... o ponto de vista contrário 113

12. O mais importante é... encontrar pechinchas 123

13. O mais importante é... o oportunismo paciente 132

14. O mais importante é... saber o que não sabemos 142

15. O mais importante é... entender nossa posição 150

16. O mais importante é... apreciar o papel da sorte 159

17. O mais importante é... investir de forma defensiva 167

18. O mais importante é... evitar armadilhas 179

19. O mais importante é... agregar valor 193

20. O mais importante é... juntar tudo 200

Prefácio

A arte de escolher ações de empresas para investir, como diz Charlie Munger, é um subproduto de algo muito maior: conhecimento sobre o mundo ou, melhor dizendo, em inglês, *worldly wisdom*. Quem deseja desenvolver-se na atividade de investimentos, cedo ou tarde, descobre que se trata de uma jornada sem fim em busca de conhecimento — sobre o mundo — e, sobretudo, uma eterna busca de autoconhecimento.

Por onde começar essa busca? O que temos de estudar? Quais livros temos de ler? Qual a bibliografia recomendada? A resposta mais fácil seria dizer "leia tudo", sobre qualquer assunto, o tempo todo. Charlie Munger já disse "Em toda a minha vida, nunca vi pessoas sábias que não lessem o tempo todo — nenhuma, zero. Vocês ficariam espantados com o tanto que o Warren lê e o quanto eu leio."

Mas "ler tudo sobre qualquer assunto", apesar de ser a resposta mais honesta, pode ser transformado, a princípio, em "ler algumas coisas muito importantes", e, depois, ampliar o leque de conhecimento e se aprofundar o máximo que puder nos temas de maior interesse. Na minha busca por conhecimento, dividi a tarefa em duas partes: adquirir experiência prática trabalhando sempre ao lado de pessoas talentosas, disciplinadas e as quais eu admiro (atividade em que tive muita sorte) e ler os livros certos. Eu gostaria de encurtar a jornada de aprendizado. Mas como fazer isso? Como ler um livro que vale por dez? E outro que vale por vinte? Se eu conseguisse esse atalho, poderia acelerar o aprendizado. Contudo, quais livros seriam esses que valem por muitos? Como selecionar os livros mais efetivos? Pensei em uma estratégia para achar esses livros.

Meu grande norte são os meus ídolos. Desde quando comecei a me interessar por investimentos, a cada nova pesquisa, em cada notícia ou em cada livro que eu lia, novos heróis surgiam. Warren Buffett foi o início de tudo. Começou aos poucos. Em 2006, quando tivemos a notícia sobre a doação gigantesca de 30 bilhões de dólares da fortuna do Buffett para a fundação Melinda Gates, houve grande publicidade nas mídias focadas em investimentos. Lembro-me de ter visto a notícia no canal da Bloomberg. Aquele simpático investidor me chamou muito a atenção. (Como ele acumulou 30 bilhões de dólares só investindo? Esse simpático senhor deve ser bom em investimentos!) Nos anos seguintes, reparei que, nos dias do meu aniversário, havia várias reportagens longas sobre aquele simpático senhor, também aniversariante do dia 30 de agosto. Uma coisa levou a outra, e lá estava eu lendo reportagens sobre esse grande investidor e frases dele. Profissionalmente, eu já trabalhava como analista de empresas, e cada nova frase ou novo livro sobre o Buffett, além de ser uma delícia de ler, me dava mais certeza de qual caminho profissional eu deveria trilhar.

No entanto, o grande estalo para começar a definir o estilo de investimento ao qual eu mais me identifico veio de um texto chamado "A arte de investir em ações", de Charlie Munger, o lendário sócio de Warren Buffett na Berkshire Hathaway. São cerca de dezoito páginas de transcrição de um discurso de Charlie para um grupo de estudantes, no qual argumenta que, para se desenvolver nessa arte de investimento em ações, é necessário dominar alguns poderosos modelos mentais. Não todos, mas os fundamentais. É preciso conhecer os principais conceitos de contabilidade, matemática, história, psicologia, biologia evolutiva (darwinismo, adaptabilidade), entre outros. Esse texto me despertou a necessidade urgente de ler mais, muito mais. Felizmente, ao ler o livro dedicado a Charlie Munger, *Poor Charlie's Almanack: The Wit and Wisdom of Charles T. Munger*, que mais se parece com um livro de arte de tão pesado e ilustrado, reparei que, no final, Charlie recomenda cinquenta livros que ele considera essenciais, variando de Física a Biologia, passando pela história dos escoceses, por psicologia, biografias de Warren Buffett e Benjamin Franklin (grande ídolo e modelo de Munger).

Pronto, meu mapa estava bem mais nítido. Se você tem ídolos, tente saber o que eles leram, o que estudaram, como aprenderam o que sabem e quais atitudes os levaram a se tornar o seu ídolo. Ao ir atrás de cada livro, novos autores surgiam, novos e ilustres investidores (até então desconhecidos por mim) apareciam: Benjamin Graham, Seth Klarman, Walter Schloss, Martin Whitman, Philip Fisher, Peter Lynch, e um que, imediatamente, me chamou muito a atenção: Howard Marks.

Nas minhas buscas na Amazon, ranqueando os livros com as melhores notas e avaliações, o livro *O mais importante para o investidor* logo se destacou. Intrigado com o pretensioso título, comprei-o sem saber quem era, de fato, Howard Marks. Quando vi que Joel Greenblatt, atual grande referência em *value investing* na Columbia Business School, Jeremy Granthan, o estrategista e CIO do grupo de investimentos GMO (que publicou uma grande quantidade de artigos sobre investimentos), Seth Klarman, autor do famoso livro *Margin of Safety* e presidente/gestor do The Baupost Group, John Bogle, fundador da Vanguard Group e pai dos investimentos passivos, e o próprio Warren Buffett estavam elogiando Howard Marks, percebi que tinha nas minhas mãos mais uma excelente leitura.

Entretanto, era bem mais do que isso. O livro *O mais importante para o investidor* não tem a pretensão de ser um guia completo sobre investimentos, mas, a meu ver, acabou se tornando praticamente isso. Esta obra é o mais próximo do que você vai encontrar de um guia completo sobre os mais variados assuntos que envolvem investimento: psicologia do investidor, a diferença entre preço e valor, entendimento, reconhecimento e controle de risco e, o que mais chamou minha atenção, ciclos de mercado.

Muitos temas que aparecem no livro já foram exaustivamente estudados por outros investidores, mas foi na explicação sobre ciclos de mercado que encontrei a maior novidade.

Benjamin Graham introduziu a ideia de que a ação representa uma fatia patrimonial de uma empresa, e como tal esse ativo deve ser tratado. No famoso capítulo 8 do livro *O investidor inteligente*, Ben Graham fala sobre o "senhor mercado", um senhor bipolar que muda de opinião sobre o preço dos ativos conforme o humor do dia. É o começo do entendimento de que o mercado acionário se trata, literalmente, de um local onde pessoas comercializam fatias de empresas. É uma peixaria, uma central de abastecimento. Mas, em vez de se comercializarem peixes ou frutas e verduras, negociam-se fatias patrimoniais de companhias de capital aberto. Ninguém é obrigado a vender ou comprar uma fatia de uma empresa por um preço que não queira. O mercado está lá para servi-lo, e não obrigá-lo.

Walter Schloss, simples, humilde, extremamente consistente e um dos alunos mais longevos de Benjamin Graham, nunca fez faculdade, mas fez o curso de Ben Graham à noite e levava muito a sério a disciplina de adquirir por um preço baixo algumas frações de empresas. Seu grande raciocínio estava em calcular o valor dos ativos da empresa. Pensar na empresa como um ativo real, tão tangível como uma fazenda, um terreno ou uma reserva de petróleo, e não como um múltiplo do lucro corrente. Essa filosofia dava a paz de espírito necessária para que Schloss pudesse fazer excelentes investimentos. Lucros são muito voláteis, mas o valor das empresas nem tanto. Se sua fazenda dá um lucro quatro vezes menor do que no ano anterior, ela não passa a ter um valor justo imediatamente quatro vezes menor também. Há circunstâncias temporárias que afetam o lucro corrente de uma empresa, mas o valor justo dela depende de um fluxo de caixa futuro muito maior do que o lucro corrente.

Warren Buffett é muito vocal sobre longo prazo, sobre a diferença entre preço e valor, paciência, e sobre o poder dos juros compostos quando se investe em excelentes negócios. É interessante notar a evolução de Warren Buffett, mudando da fase 1, quando ele comprava praticamente qualquer tipo de negócio, desde que o preço estivesse substancialmente abaixo do valor justo, valor este praticamente visível a olho nu, evidenciado pela quantidade de dinheiro no caixa da empresa, dos ativos da companhia, ou na soma dos ativos líquidos (ativo menos o passivo). Era o *Cigar Butt Investing*, na alusão às bitucas de charuto que as pessoas descartavam nas arquibancadas das corridas de jóquei, e que ainda rendiam algumas tragadas para quem se interessasse em pegá-las no chão para acendê-las. Na fase 2, sob a influência de Charlie Munger, seu sócio, Warren Buffett muda para a procura de excelentes negócios, empresas com marcas reconhecidas, fluxo de caixa resiliente e que sejam à prova de administradores incompetentes. Coca-Cola foi a grande representante dessa mudança de estilo, embora a filosofia tivesse se iniciado com a See's Candies.

Charlie Munger é o investidor filósofo, insistente sobre temas relacionados a psicologia do investidor e nossas falhas cognitivas, que nos levam a tomar decisões irracionais. Foi ele quem convenceu Buffett sobre a superioridade de *performance* das excelentes empresas. Munger, quando foi perguntado certa vez sobre como se definiria, não titubeou: "sou uma pessoa racional".

Seth Klarman foca na margem de segurança e nos ativos extremamente descontados. É o investidor de valor clássico, indo atrás dos ativos.

Philip Fisher descreve com precisão o que procura numa empresa, dando ênfase à capacidade de a empresa continuar crescendo por muitos anos seguidos. O famoso Método Scuttlebutt, com uma sequência de quinze perguntas essenciais para avaliar e descobrir empresas lucrativas para investir, é uma verdadeira aula de como analisar e concluir se a empresa é ou não uma excelente alternativa de investimento. Como curiosidade, Warren Buffett se autodefine como sendo 85% Benjamin Graham e 15% Philip Fisher. Particularmente, acredito no contrário. Pelos investimentos da Berkshire Hathaway, parece-me que Buffett começou de fato 85%-15%, mas foi se tornando cada vez mais 15%-85% com o tempo. Já Peter Lynch fala e escreve muito bem sobre o quão acessível e factível é, para as pessoas comuns, investir em ações. Se as pessoas focassem em negócios que já conhecem por conviver no dia a dia, seja a empresa de cadeia de lojas que vendem seus produtos preferidos ou aquele fabricante de sua sobremesa predileta ou de seu carro preferido, teriam uma capacidade superior de análise. Por que analisar aquela empresa que você nunca visitou, que fabrica aquele produto que você nunca consumiu, se você pode parar para analisar aquele administrador de *shopping center* que você frequenta, de que gosta e do qual conhece os lojistas?

Todos os grandes investidores, referências, anteriormente mencionados, de uma forma ou de outra focam na empresa, na sustentabilidade de longo prazo de suas operações, nas vantagens competitivas, nas barreiras de entrada, na diferença entre preço e valor e na análise psicológica dos investidores e de nossas falhas cognitivas, que nos levam a tomar decisões irracionais.

Apesar de comum e bem explorado por praticamente todos os investidores autores, como podemos ver no breve resumo apresentado, a relação entre preço e valor e a determinação do valor em si também são exploradas por Howard Marks em dois capítulos. Essa relação é a coluna vertebral de qualquer investidor de valor. A frase é do escritor irlandês Oscar Wilde, mas pode ser usada para descrever a maioria dos participantes de mercado: "Atualmente, as pessoas sabem o preço de tudo e o valor de nada.".

O único tema que não é discutido pelos investidores fundamentalistas, e muitas vezes criticado por eles como sendo uma perda de tempo, são os ciclos de mercado. Essa foi a grande novidade, pelo menos para mim, trazida por Howard Marks.

Um simples parágrafo do livro *O mais importante para o investidor* me ajudou muito a entender o que estávamos observando no Brasil no final de 2015. Aquele nível de preços me remeteu imediatamente a Howard Marks. Quando li o trecho em que ele diz que "[...] devemos lembrar que quase tudo é cíclico. Mesmo tendo algumas poucas certezas, sei que as seguintes afirmações são verdadeiras: ao final, os ciclos sempre prevalecem. Nada caminha para sempre em uma só direção. As árvores não crescem até o céu. Poucas coisas chegam a zero. Quase nada é tão perigoso para a saúde dos investidores quanto a insistência em extrapolar os eventos atuais para o futuro", isso imediatamente me acendeu o sinal de alerta de que estávamos próximo ao fundo do poço ou exatamente no fundo. Vários investidores, num consenso raro, imaginavam que o Brasil estava caminhando inevitavelmente para se tornar uma próxima Venezuela. Ativos iriam "para zero". Estavam extrapolando "os eventos atuais para o futuro". Com essa ideia em mente, aliada ao tradicional método de calcular o valor justo dos ativos, formamos a convicção de que estávamos perto de um limite de baixa dos preços. Ter "ouvido" Howard Marks foi extremamente rentável.

O livro também aborda todos os outros temas que são objetos de reflexão por boa parte dos mais renomados investidores fundamentalistas que eu havia estudado. O tema psicologia do investidor, pensamento de segundo nível, é muito presente no primeiro capítulo; chama a atenção com exemplos práticos sobre os problemas que surgem quando pensamos convencionalmente. Raciocínios convencionais trazem resultados convencionais. Hoje é muito comum o tema "finanças comportamentais". Daniel Kahneman, Dan Ariely, entre outros, popularizaram ainda mais o tema, evidenciando os vieses irracionais que atrapalham a nossa tomada de decisão em várias situações, não só investimentos. Howard Marks deixa esse tema bem prático para o investidor. A primeira conclusão, aquela óbvia, pode não ser a correta. Se for óbvia para todos os investidores, já não será óbvia.

A humildade com que Howard Marks reconhece alguns poderosos conceitos sobre a teoria dos mercados eficientes, sem deixar de pontuar suas limitações, é reconfortante. Jogar na lata do lixo o CAPM[1] ou segui-lo às cegas pode ser igualmente ruim para seus investimentos. Reconhecer que o mercado é razoavelmente eficiente, e, quanto mais longo o seu horizonte de investimento, mais eficiente o mercado tende a ser, é uma ideia poderosa.

O tema mais presente neste livro e que talvez seja o de maior utilidade para os investidores já profissionais é sobre risco: entendimento, reconhecimento e controle. A maioria dos meus maiores erros como investidor veio de falhas ao lidar com o risco. Ter a constante ciência de que risco significa que podem acontecer mais coisas do que as que vão acontecer é uma poderosa ferramenta para avaliar se o seu portfólio aguenta o choque de eventos dramaticamente improváveis.

O ponto mais alto do livro, surgindo como a grande novidade entre os melhores investidores fundamentalistas que conhecia, é sobre os ciclos, explorado em dois capítulos.

Tanto Howard Marks como meu grande herói e sócio Luiz Alves Paes de Barros já disseram, em situações diferentes, que, quanto mais tempo se passa no mundo dos investimentos, mais se aprecia a natureza cíclica de tudo. O envolvimento das pessoas é a razão básica para o comportamento cíclico do mundo. Tudo passa por ciclos de crescimento e declínio, ascensão e queda: as economias, os mercados e as empresas.

Numa oportunidade, perguntado sobre a razão de se pensar em ciclos, assim como Howard Marks, Luiz Alves respondeu: "E por acaso existe alguma outra forma de pensar nos preços de mercado no longo prazo que não em ciclos?".

O livro não tem a pretensão de ensinar tudo sobre investimentos, mas ao final você descobrirá que a leitura abordou praticamente todos os assuntos. É de fato um guia extraordinário para direcionar os investidores nos mais diversos aspectos dessa atividade de investir — parte arte, parte ciência.

---

1. O Capital Asset Pricing Model é um método que analisa a relação entre o risco e o retorno que é esperado de um investimento. (N.E.)

O livro ensina quase tudo. Quase. Em uma de suas viagens ao Brasil, meu amigo doutor Luiz Carlos Vasconcellos de Moraes Junior (o qual tive o privilégio de conhecer por causa de nosso interesse mútuo na obra de Howard Marks) teve a oportunidade, ao final de uma palestra, de fazer a seguinte pergunta direta para Howard: "Se basta seguir suas regras para que uma pessoa possa investir razoavelmente bem, por que as pessoas não aprendem?".

Howard Marks respondeu: "Podemos ensinar tudo sobre basquete para uma pessoa. Podemos ensiná-la a arremessar, passar a bola, correr; podemos ensinar as regras. Ensinamos tudo, só não podemos ensinar a pessoa a ser alta. E, para jogar basquete, altura é fundamental.".

A altura do jogador de basquete é o temperamento para o investidor de empresas. Sem o temperamento adequado, você pode ter problemas. Mas, se você tem o temperamento, com uma boa dose de paciência, disciplina e capacidade de pensar de forma independente das outras pessoas, este livro o tornará um investidor mais completo.

Se você tem ídolos, descubra o que eles leram, estudaram, como aprenderam o que sabem e quais atitudes os levaram a tornar-se seus ídolos. Com esse mapa na mão, comece a trilhar essa mesma escalada. A aventura será somente sua, assim como cada queda, aprendizado e cicatriz, mas a vista quando atingir o pico será igualmente linda.

O livro *O mais importante para o investidor* é uma parte imprescindível desse mapa. A seguinte frase de Mark Twain resume muito bem a filosofia de investimentos de Howard Marks: "A história não se repete, mas rima.".

Henrique Bredda
SÓCIO DA GESTORA ALASKA ASSET MANAGEMENT.
ENGENHEIRO PELA ESCOLA POLITÉCNICA DA UNIVERSIDADE
DE SÃO PAULO (USP) E UM DOS INVESTIDORES DE MAIOR
RENOME DO MERCADO NACIONAL.

Introdução

Nos últimos vinte anos, escrevi memorandos ocasionais aos meus clientes, primeiro na Trust Company of the West e depois na Oaktree Capital Management, a empresa cofundada por mim em 1995. Utilizo-os para definir minha filosofia de investimentos, explicar o funcionamento das finanças e oferecer minha opinião sobre acontecimentos recentes. Esses documentos formam a essência deste livro, e você encontrará passagens de muitos deles nas próximas páginas; acredito que hoje as lições contidas neles sejam tão úteis quanto eram na época em que foram redigidos. Fiz algumas pequenas modificações para poder integrá-los ao livro; principalmente para que a mensagem de cada um ficasse mais clara.

O que, exatamente, é "o mais importante"? Para responder a essa pergunta, em julho de 2003, escrevi um memorando com o mesmo título, reunindo os elementos que, do meu ponto de vista, eram essenciais para um bom investimento. Começava assim: "Quando me encontro com clientes efetivos ou prospectivos, percebo que digo de forma repetitiva que a coisa mais importante é X; e, então, dez minutos depois, digo que a coisa mais importante é Y. Logo em seguida, digo que é Z, e assim por diante.". Ao final, o memorando insere-se na discussão de dezoito coisas "mais importantes".

Desde a elaboração daquele documento original, fiz ajustes nas coisas que considero "mais importantes", mas a ideia fundamental não mudou: *todas* são importantes. O bom investimento requer atenção criteriosa a diversos aspectos distintos ao mesmo tempo. Omita qualquer um deles e, provavelmente, o resultado não chegará a ser nem mesmo satisfatório. Por esse motivo, o livro foi elaborado em torno da ideia das coisas mais importantes — cada uma delas é um tijolo daquilo que acredito ser uma parede sólida, e nenhuma delas é dispensável.

A proposta deste livro não está concentrada na produção de um manual sobre como investir. Esta obra é mais uma declaração sobre minha filosofia de investimentos, que considero ser meu credo, e tem servido a mim como uma religião no curso da minha carreira. Essas são as coisas em que acredito, as sinalizações que indicam o caminho a ser seguido. Considero que as mensagens deste livro são as mais duradouras. Acredito plenamente que elas continuarão sendo relevantes.

Este não é um livro didático. Não há receita infalível para um bom investimento. Não ofereço instruções passo a passo. Não há nenhuma fórmula de avaliação contendo constantes matemáticas ou proporções fixas — na verdade, pouquíssimos números. Ofereço uma forma de pensar que pode ajudá-lo a tomar decisões acertadas e, talvez mais importante, evitar armadilhas que capturam tantas pessoas.

Meu objetivo não é simplificar o ato de investir. Na verdade, quero deixar bastante claro que investir é um ato muito complexo. Aqueles que tentam simplificá-lo prestam um grande desserviço ao seu público. Vou me limitar às ideias gerais sobre retorno, risco e processo; toda vez que discuto sobre classes específicas de ativos e táticas, faço apenas para exemplificar meu ponto de vista.

Um pouco sobre a organização do livro. Mencionei antes que o bom investimento envolve a atenção criteriosa e simultânea a muitas áreas. Se fosse possível, eu discutiria todas elas ao mesmo tempo. Mas, infelizmente, as limitações da linguagem me forçam a atender um tópico por vez. Assim, para estabelecer nosso espaço de atuação, começo com uma discussão sobre o ambiente do mercado em que os investimentos são realizados. Em seguida, passo a discutir os investidores e os elementos que afetam o êxito ou o fracasso de seus investimentos e as ações que podem ser tomadas para melhorar suas chances. Os capítulos finais têm caráter de resumo, apresentam-se como uma tentativa de reunir essas duas ideias. Embora minha filosofia seja de algo integral, alguns conceitos são relevantes para mais de um capítulo — por isso, peço aos leitores paciência quando notarem repetições.

Espero que considerem o conteúdo deste livro original, instigante e, talvez, até controverso. Se alguém me disser algo como "gostei muito do seu livro, ele confirma tudo o que eu já li até agora", sentirei que fracasso em minha tentativa. Meu objetivo é compartilhar ideias e formas de pensar sobre tópicos de investimentos que ainda sejam desconhecidos para o leitor. Seis palavrinhas me elevariam: "eu nunca pensei nisso dessa forma".

Notem que passo mais tempo discutindo risco e as formas de limitá-lo do que como obter retorno dos investimentos. A meu ver, o aspecto mais interessante, desafiador e essencial de um investimento é o risco.

Quando clientes em potencial querem entender o que faz a Oaktree funcionar bem, eles costumam perguntar sobre as nossas principais estratégias de sucesso. Minha resposta é simples: uma filosofia de investimento eficaz, desenvolvida e aprimorada ao longo de mais de quatro décadas e implementada de um modo consciente por indivíduos altamente qualificados que possuem cultura e valores compartilhados.

De onde vem uma filosofia de investimento? Se há algo que posso afirmar categoricamente é que ninguém inicia sua carreira de investimentos com uma filosofia já amadurecida. Ela é a soma de muitas ideias acumuladas, derivadas de múltiplas fontes no decorrer de um longo período. Não é possível desenvolver uma filosofia eficaz sem ter sido exposto às lições da vida. Eu tive muita sorte com experiências enriquecedoras e lições profundas.

O tempo que passei em duas grandes faculdades de administração me ofereceu uma combinação muito eficaz e provocativa: elementos básicos e instrução qualitativa no período pré-teórico de minha graduação na Wharton School (University of Pennsylvania) e uma educação teórica e quantitativa na pós-graduação na University of Chicago. Contudo, determino como mais importante, antes mesmo dos fatos e processos específicos assimilados, estar exposto às duas principais escolas de pensamento sobre investimentos e ter de refletir sobre como reconciliá-las e transformá-las em uma abordagem própria.

É importante dizer que uma filosofia como a minha nasce quando passamos pela vida com os olhos abertos. É preciso estar atento aos acontecimentos do mundo e aos resultados desses eventos. Somente assim se adquire a capacidade de praticar as lições aprendidas sempre que circunstâncias semelhantes surgirem. Não conseguir fazer isso é o que — mais do que qualquer outra coisa — condena a maioria dos investidores a serem vítimas constantes de um ciclo de altos e baixos.

Gosto de afirmar que, "quando não conseguimos o que queríamos, ganhamos experiência". Os bons tempos ensinam apenas lições ruins, isto é, que investir é fácil, que conhecemos os segredos dos investimentos e que não precisamos nos preocupar com os riscos. As lições mais valiosas são aprendidas em tempos difíceis. Nesse sentido, tive "sorte" de ter passado por alguns momentos assim: a crise do petróleo, a estagflação, o colapso das *Nifty Fifty* (as cinquenta ações mais atraentes) e a "morte das ações" (*death of equities*) na década de 1970; a segunda-feira negra de 1987, quando o Índice Industrial Dow Jones perdeu 22,6% de seu valor em um único dia; o aumento das taxas de juros de 1994, que colocou instrumentos de dívida sensíveis à taxa em queda livre; a crise do mercado emergente, a inadimplência russa e o colapso do fundo de investimento *Long-Term Capital Management* (LTCM) em 1998; o estouro da bolha da internet (ou bolha das empresas "ponto com") em 2000-2001; os escândalos contábeis de 2001-2002; e a crise financeira mundial de 2007-2008.

A década de 1970, período em que surgiram muitos desafios, foi particularmente importante para minha formação. Conseguir um emprego na área de investimentos nessa época era praticamente impossível, pois, para obter experiência na área durante esse período, era preciso estar empregado no ano anterior. Quantas pessoas que começaram nos anos 60 ainda estavam trabalhando na época em que ocorreu a bolha da internet, no final dos anos 90? Não muitas. A maioria dos investidores profissionais havia começado a trabalhar na década de 1980 ou 1990 e não sabia que o mercado era capaz de sofrer uma queda que superasse 5%, a maior observada entre 1982 e 1999.

Quando lemos muito, aprendemos com pessoas cujas ideias merecem ser publicadas. Para mim, os textos de mais importância foram: o grande artigo de Charley Elli, "The loser's game" (O jogo dos perdedores), no *The Financial Analysts Journal*, julho-agosto de 1975; de John Kenneth Galbraith, *A short story of financial euphoria* (Um conto sobre euforia financeira), Nova York, Viking, 1990; e de Nassim Nicholas Taleb, *Fooled by randomness* (Iludido pelo acaso), Nova York, Texere, 2001. Estes exerceram bastante influência sobre minha maneira de refletir.

Por fim, fui afortunado por aprender diretamente com alguns excelentes pensadores: sobre as falhas humanas, com John Kenneth Galbraith; sobre paciência e pontos de vista contrários, com Warren Buffett; Charlie Munger me ensinou sobre a importância das expectativas razoáveis; Bruce Newberg, sobre "probabilidade e resultado"; Michael Milken, sobre o risco consciente; e Ric Kayne, sobre a criação de "armadilhas" (oportunidades de investimento subestimadas em que é possível ganhar muito sem perder muito). Também lucrei ao me associar a Peter Bernstein, Seth Klarman, Jack Bogle, Jacob Rothschild, Jeremy Grantham, Joel Greenblatt, Tony Pace, Orin Kramer, Jim Grant e Doug Kass.

A verdade é que fui exposto a todos esses elementos de forma consciente, podendo combiná-los em uma filosofia de investimentos que tem gerado lucros para minhas empresas — e, portanto, para os clientes — por muitos anos. Embora não seja a única filosofia possível — há muitas maneiras de acertar um alvo —, funcionou para nós.

Apresso-me a salientar que ela não teria muito significado se não fosse implementada de forma qualificada pelos incríveis cofundadores da Oaktree — Bruce

Karsh, Sheldon Stone, Larry Keele, Richard Masson e Steve Kaplan —, com os quais tive a sorte de me unir entre 1983 e 1993. Convenci-me de que nenhuma ideia pode ser melhor do que a ação tomada sobre ela, e isso é especialmente verdadeiro no mundo dos investimentos. A filosofia que compartilho aqui não teria atraído atenção se não considerasse as realizações desses parceiros e de outros colegas da Oaktree.

1

O mais importante é...
o pensamento de segundo nível

A arte do investimento tem uma característica que não costuma ser apreciada. Um resultado admirável, mesmo que não muito espetacular, pode ser alcançado pelo investidor leigo com um mínimo de esforço e capacidade; mas a melhora desse padrão facilmente atingível requer muita dedicação e muito mais do que apenas um traço de sabedoria.

BEN GRAHAM, *O INVESTIDOR INTELIGENTE*

Tudo deve ser feito da maneira mais simples possível, mas não simples demais.

ALBERT EINSTEIN

Não é para ser fácil. É estúpido quem acha fácil.

CHARLIE MUNGER

Poucos têm vocação para ser grandes investidores. Alguns podem ser ensinados, mas nem todos... E aos que *podem* ser ensinados não há como ensinar tudo. Abordagens válidas funcionam algumas vezes, não sempre. Além disso, não há como reduzir o ato de investir a um algoritmo e entregá-lo a um computador. Mesmo os melhores investidores não acertam sempre.

As razões dessas limitações são simples: não há regras que funcionem em todos os casos; o ambiente não é controlável, e as circunstâncias raramente se repetem exatamente da mesma forma. A psicologia desempenha um papel importante nos mercados, e as relações de causa e efeito, por serem muito variáveis, não são confiáveis. Uma abordagem de investimento pode funcionar por um tempo, mas chegará um momento em que as ações exigidas por ela mudarão o ambiente, revelando a necessidade de se buscar uma nova abordagem. Ademais, a eficácia de uma abordagem fica reduzida quando outras passam a imitá-la.

Investir, assim como a ciência econômica, é mais arte do que ciência. O que significa que pode causar um pouco de confusão.

> Uma das coisas mais importantes a se ter em mente hoje é que economia não é uma ciência exata. É até mesmo possível que não seja uma ciência, no sentido de que, na ciência, é possível realizar experimentos controlados, replicar resultados passados com confiança e garantir a manutenção das relações de causa e efeito.
>
> "WILL IT WORK?" (VAI DAR CERTO?), 5 DE MARÇO DE 2009

Tendo em vista que investir é, no mínimo, tanto uma arte quanto uma ciência, não tenho nenhuma intenção de sugerir — neste livro ou em qualquer outro lugar — que possamos fazer investimentos por meio de ações rotineiras. Na verdade, uma das coisas que mais quero enfatizar é a grande importância de se fazer uma abordagem de investimento intuitiva e adaptável, em vez de determinada e mecanicista.

≈

No fundo, tudo depende do que se pretende realizar. Qualquer um pode atingir um desempenho médio — basta investir em um fundo de índice que compra um pouco de tudo. Isso lhe dará o que é conhecido como "retorno de mercado" — simplesmente igualando-se ao mercado. Mas investidores bem-sucedidos querem mais; querem uma *performance* acima dos índices de mercado, isto é, vencer o mercado.

Acredito que esta seja a definição de investimento bem-sucedido: ter uma *performance* melhor que a do mercado e a de outros investidores. Para chegar a isso, é necessário ter boa sorte ou uma percepção excepcional. Contar com a sorte não é um grande plano, então o melhor a fazer é nos concentrarmos na percepção. No basquete dizem que é impossível treinar a altura das pessoas, querendo dizer que nenhum treinador do mundo será capaz de tornar um jogador mais alto. É quase tão difícil quanto ensinar percepção às pessoas. Como em qualquer outra forma de arte, algumas pessoas sabem investir melhor. Elas têm — ou conseguiram adquirir — aquele "traço de sabedoria" necessário de que Ben Graham trata de forma tão eloquente.

Todos querem ganhar dinheiro. Toda a economia é baseada na crença da universalidade da motivação do lucro. Assim também é o capitalismo; a motivação do lucro faz que as pessoas trabalhem de forma mais árdua e arrisquem o seu capital. A busca por lucros produziu grande parte do progresso material existente no mundo.

Porém, por causa dessa universalidade, ganhar do mercado, isto é, ter uma *performance* acima dos índices de mercado, passa a ser uma tarefa difícil. Milhões de pessoas competem por cada dólar disponível. Quem ganhará? A pessoa que estiver um passo à frente das demais. Em algumas atividades, ser o melhor significa ter mais estudos, passar mais tempo na academia ou na biblioteca, estar mais bem nutrido, transpirar mais, ter mais resistência ou um melhor equipamento. Investir, no entanto — uma área em que essas coisas não valem muito —, é uma atividade que exige pensamento mais perceptivo... algo que chamo de pensamento de segundo nível.

Os futuros investidores podem fazer cursos de finanças e contabilidade, ler muito e, se tiverem sorte, receber mentoria de alguém com uma compreensão profunda do processo de investimento. Mas apenas alguns deles terão a percepção, a intuição, o senso psicológico de valor e a consciência excelentes que são necessários para obter resultados que estejam consistentemente acima da média. Para isso é necessário o pensamento de segundo nível.

$\approx$

Lembre-se de que não desejamos obter retornos médios ao investir; queremos estar acima da média. Assim, seu pensamento precisa ser melhor do que o dos outros — deve ser mais poderoso e estar em um nível mais alto. Uma vez que outros investidores podem ser inteligentes, bem informados e altamente informatizados, é preciso encontrar alguma vantagem que eles não tenham, pensar em algo a que eles não se ativeram, ver coisas que eles não conseguiram enxergar ou perceber o que eles não perceberam. É preciso reagir e se comportar de forma diferente. Em suma, estar certo pode ser uma condição necessária para o sucesso do investimento, mas não será suficiente. Você deve estar mais certo do que os outros..., que, por definição, significa que seu pensamento tem de ser diferente.

O que é pensamento de segundo nível?

- O pensamento de primeiro nível diz: "Esta é uma boa empresa, vamos comprar ações!". O pensamento de segundo nível diz: "Esta é uma boa empresa, no entanto, todos a consideram uma grande empresa, e ela não é. Por isso, suas ações estão superestimadas e sobrevalorizadas. Vamos vender!".

- O pensamento de primeiro nível diz: "O cenário exige baixo crescimento e aumento da inflação. Vamos vender nossas ações!". O de segundo nível diz: "O cenário está ruim, mas todos os outros estão vendendo porque estão em pânico. Vamos comprar!".
- O pensamento de primeiro nível diz: "Eu acho que os lucros da empresa vão cair; venda!". O de segundo nível diz: "Eu acho que os lucros da empresa vão diminuir menos do que as pessoas esperam, e essa boa surpresa fará as ações subirem; vamos comprar!".

O pensamento de primeiro nível é simplista, superficial e comum a quase todas as pessoas (e isso não é um bom sinal para qualquer coisa que envolva uma tentativa de superioridade). Tudo o que o pensador de primeiro nível precisa é de uma opinião sobre o futuro, como, por exemplo, "o cenário para a empresa é favorável e, por isso, as ações subirão".

O pensamento de segundo nível é profundo e complexo. O pensador deste nível leva muitas coisas em conta:

- Qual é a gama de prováveis resultados futuros?
- Que resultado eu acho que vai ocorrer?
- Qual é a probabilidade de eu estar certo?
- Qual é o consenso?
- Em que aspectos minha expectativa difere do consenso?
- Como o preço atual do ativo se comporta com base na visão consensual do futuro? E na minha visão?
- A psicologia de consenso que está incorporada ao preço é muito otimista ou pessimista?
- O que acontecerá com o preço do ativo se o consenso estiver certo? E se eu estiver certo?

A diferença de carga de trabalho entre o pensamento de primeiro e segundo nível é claramente gigantesca; e o número de pessoas capazes de realizar este último tipo de pensamento é pequeno em comparação ao número de pessoas capazes de realizar o primeiro tipo.

Pensadores de primeiro nível buscam fórmulas simples e respostas fáceis. Os de segundo nível sabem que investir bem é a antítese da simplicidade. Isso não quer dizer que não se encontre muita gente tentando ao máximo fazer com que investir pareça simples. Chamo algumas dessas pessoas de "mercenárias". As corretoras tentam convencer seus clientes de que todos são capazes de investir — a 10 dólares por transação. As empresas de fundos mútuos não desejam que seus clientes sintam-se capazes para investir com sucesso; querem fazê-los acreditar que só *elas* podem. Nesse caso, coloca-se o dinheiro em fundos gerenciados ativamente e pagam-se altas taxas de administração.

Outras que simplificam são aquelas que chamo de "proselitizadoras". Algumas são acadêmicas que dão aulas sobre investimentos, outras são praticantes bem-intencionadas que superestimam até que ponto estão no controle; acredito que a maioria não consegue determinar a soma de seus históricos, ou ignora os anos ruins, ou atribui suas perdas ao azar. Por fim, há os que simplesmente não conseguem entender a complexidade do assunto. Um comentarista convidado da estação de rádio que costumo ouvir no carro disse o seguinte: "se a sua experiência com um produto foi boa, compre ações da empresa". Ocorre que, para ser um bom investidor, é preciso muito mais do que apenas isso.

Pensadores de primeiro nível pensam da mesma forma que outros pensadores de primeiro nível sobre os mesmos temas e, em geral, chegam às mesmas conclusões. Por definição, esse não pode ser o caminho para chegar aos melhores resultados. Não há como todos os investidores terem *performance* superior ao nível do mercado, pois, coletivamente, eles são o mercado.

Antes de tentar competir em um mundo de investimentos de soma zero, precisamos nos perguntar se temos uma boa razão para fazer parte da metade superior. Para superar o investidor médio, precisamos ter a capacidade de pensar melhor do que o consenso. Você é capaz de fazer isso? Por que acredita nisso?

~

O problema é que o desempenho extraordinário nasce apenas de previsões não consensuais corretas, mas previsões não consensuais são difíceis de serem feitas de forma correta e exigem uma difícil tomada de ação. Ao longo dos anos, muitas pessoas me disseram que o quadro mostrado a seguir causou grande impacto nelas:

> Não é possível fazer as mesmas coisas que os outros fazem e esperar superá-los... A não convencionalidade não deveria ser um objetivo em si, mas, sim, uma maneira de pensar. Para nos diferenciarmos dos outros, precisamos ter ideias diferentes e processá-las de forma diferente. Eu descrevo a situação em um quadro 2 × 2 simples:

	Comportamento convencional	Comportamento não convencional
Resultados favoráveis	Resultados bons (dentro da média)	Resultados acima da média
Resultados desfavoráveis	Resultados ruins (dentro da média)	Resultados abaixo da média

Embora nada seja tão fácil e tão claro, acredito que essa seja a situação geral. Se nosso comportamento for convencional, provavelmente atingiremos resultados convencionais — bons ou ruins. Somente se seu comportamento é não convencional, é provável que seu desempenho seja não convencional e, somente se seus julgamentos são superiores, é provável que seu desempenho seja acima da média.

"DARE TO BE GREAT" (OUSE SER GRANDE), 7 DE SETEMBRO DE 2006

O resultado é simples: para que investimentos tenham resultados superiores, precisamos ter opiniões não consensuais sobre valor, e elas devem ser precisas. Isso não é fácil.

A atratividade de comprar algo por menos do que vale faz todo sentido. Então, como encontrar pechinchas em mercados eficientes? Para isso, precisamos ter habilidade analítica, capacidade de percepção ou de previsão excepcionais. No entanto, poucas pessoas têm essa excepcionalidade.

"RETURNS AND HOW THEY GET THAT WAY" (RENDIMENTOS E COMO SE TORNAM O QUE SÃO), 11 DE NOVEMBRO DE 2002

Para que o desempenho divirja da norma, suas expectativas e, portanto, seu portfólio devem seguir o mesmo caminho; e você precisa estar mais certo do que o consenso. Diferente e melhor: essa é uma boa descrição do pensamento de segundo nível.

Os que consideram o processo de investimento como algo simples não costumam estar cientes da necessidade — ou mesmo da existência — do pensamento de segundo nível. Assim, muitas pessoas são enganadas e levadas a acreditar que todos podem ser investidores bem-sucedidos, mas nem todos conseguem. A boa notícia é que a prevalência de pensadores de primeiro nível eleva os retornos disponíveis para os de segundo nível. Para que retornos de investimentos sejam superiores de forma consistente, devemos ser um destes.

2

O mais importante é... entender a eficiência do mercado (e suas limitações)

Em teoria, não há diferença entre teoria e prática, mas na prática há.

YOGI BERRA

A década de 1960 testemunhou o surgimento de uma nova teoria sobre finanças e investimentos, um conjunto de ideias conhecido como Escola de Chicago, por ter se originado no departamento de economia da University of Chicago. Tendo estudado lá entre 1967 e 1969, eu me encontrava no epicentro da nova teoria. Essa escola de pensamento econômico exerceu grande influência sobre minhas ideias.

A teoria inclui conceitos que se tornaram elementos importantes das discussões sobre investimentos: aversão ao risco, volatilidade como definição de risco, retornos ajustados ao risco, risco sistemático e não sistemático, alfa, beta, a hipótese do passeio aleatório e a hipótese do mercado eficiente. (Todos esses conceitos serão abordados nas próximas páginas.) Desde sua propositura, este último conceito se mostrou particularmente influente no campo dos investimentos, tão significativo que, aqui, merece um capítulo próprio.

A hipótese do mercado eficiente afirma que:

- Há muitos participantes nos mercados; todos compartilham acesso aproximadamente igual a todas as informações relevantes. Todos são inteligentes, objetivos, altamente motivados e trabalhadores. Seus modelos analíticos são amplamente conhecidos e utilizados.

- Devido aos esforços coletivos desses participantes, a informação se reflete plena e imediatamente no preço de mercado de cada ativo. E como os participantes do mercado se movimentarão instantaneamente para comprar qualquer ativo que seja muito barato ou vender um que seja muito caro, os ativos são precificados de forma justa, seja em termos absolutos ou relativos uns aos outros.
- Assim, os preços de mercado representam estimativas precisas do valor intrínseco dos ativos, e, por isso, nenhum participante é capaz de identificar e lucrar de modo constante quando os preços de mercado estão errados.
- Os ativos, portanto, são vendidos a preços pelos quais se esperam que entreguem retornos ajustados ao risco "justos" em relação aos outros ativos. Ativos mais arriscados oferecem retornos maiores para atrair compradores. O mercado definirá os preços de modo que esse pareça ser o caso, mas não oferecerá "almoço grátis". Ou seja, não haverá retorno incremental que não esteja relacionado (e que não seja compensatório) ao risco incremental.

Esse é um resumo mais ou menos oficial dos destaques. Agora, minha opinião: quando falo sobre essa teoria, também uso a palavra eficiente, mas a utilizo no sentido de "veloz, rápido para incorporar informações" e não no sentido de "correto". Visto que os investidores se esforçam arduamente para avaliar cada nova informação, concordo que os preços dos ativos refletem de forma imediata a visão consensual sobre a importância das informações. No entanto, não creio que a visão consensual esteja necessariamente correta. Em janeiro de 2000, as ações do Yahoo eram vendidas a 237 dólares. Em abril de 2001, o preço era 11 dólares. Quem afirma que o mercado estava certo nas duas ocasiões estava muito distraído; em pelo menos uma dessas ocasiões o mercado estava necessariamente errado. Mas isso não significa que muitos investidores tenham conseguido detectar o erro e responder a ele.

Se, em mercados eficientes, os preços já refletem o consenso, então compartilhar a visão de consenso nos fará provavelmente ganhar apenas um retorno médio. Para vencer o mercado, deve-se ter uma visão peculiar — ou não consensual.

O ponto principal é o seguinte: mesmo que os mercados mais eficientes costumem errar na precificação dos ativos, não é fácil — quando trabalhamos com as mesmas informações que todos os outros e estamos sujeitos às mesmas influências psicológicas — manter, de modo constante, opiniões diferentes das emitidas por consenso e que, também, se aproximem mais de estar corretas. É isso que torna os mercados tradicionais terrivelmente difíceis de serem vencidos — mesmo que eles nem sempre estejam certos.

"What's it all about, alpha?" (Do que se trata, alfa?), 11 de julho de 2001

O resultado mais importante da hipótese do mercado eficiente é a conclusão de que "você não pode vencer o mercado". Além de essa conclusão estar logicamente baseada na visão de Chicago sobre o mercado, também foi reforçada por estudos sobre o desempenho dos fundos mútuos. Desses fundos, pouquíssimos se destacaram por seus resultados.

Alguém pode trazer os fundos de cinco estrelas à discussão. Leia as letras pequenas: os fundos mútuos são classificados em relação uns aos outros. As classificações não dizem nada sobre serem maiores que algum padrão objetivo, como, por exemplo, um índice de mercado.

E os célebres investidores sobre os quais ouvimos tanto falar? Primeiro, um ou dois bons anos não provam nada; a própria sorte, sozinha, é capaz de produzir quase qualquer resultado. Em segundo lugar, os estatísticos insistem que nada pode ser provado com significância estatística até que você tenha dados de um número suficiente de anos; lembro-me de uma cifra de 64 anos, e quase ninguém consegue administrar dinheiro por tanto tempo. Por fim, o surgimento de um ou dois grandes investidores não refuta a teoria. O fato de que os Warren Buffetts deste mundo atraem tanta atenção é uma indicação clara de que o bom desempenho contínuo é algo excepcional.

Uma das maiores ramificações da teoria da Escola de Chicago tem sido o desenvolvimento de veículos de investimento passivo conhecidos como *fundos de índice*. Se nem mesmo a maioria dos gestores de carteira ativa, que fazem "apostas ativas" em quais investimentos dar maior ou menor peso, são capazes de vencer o mercado, por que pagar o preço — na forma de custos de transação e taxas de administração — que essa tentativa implica? Levando em conta essa questão, os investidores têm colocado quantias cada vez maiores em fundos que simplesmente investem uma quantia determinada pelo mercado em cada ação ou título de certo índice de mercado. Dessa forma, os investidores desfrutam de retornos de mercado pagando uma taxa de apenas alguns centésimos por cento ao ano.

Tudo se move em ciclos, conforme discutirei mais tarde, e isso inclui a "sabedoria aceita". Desse modo, a hipótese do mercado eficiente se alastrou rapidamente na década de 1960 e criou muitos adeptos. Desde então, foram levantadas objeções ao modelo e, assim, a visão geral sobre sua aplicabilidade é instável. Tenho minhas próprias reservas em relação à teoria, e a maior delas refere-se à forma como essa teoria vincula os conceitos de retorno e de risco.

De acordo com a teoria do investimento, as pessoas são avessas ao risco por natureza, o que significa que, em geral, preferem se submeter a menos riscos. Para que façam investimentos mais arriscados, precisam ser induzidas pela promessa de maiores retornos. Assim, os mercados ajustarão os preços dos investimentos para que, com base nos fatos conhecidos e nas percepções comuns, os mais arriscados pareçam prometer maiores retornos.

Já que a teoria fala em mercado eficiente, o modelo não comporta nenhum tipo de competência (que hoje costumamos chamar de *alfa*) que permitiria a alguém vencer o mercado; toda a diferença de retorno entre um investimento e outro — ou entre o portfólio de uma pessoa e o de outra — é atribuída à diferença de risco. Na verdade, se mostrarmos a um adepto da hipótese do mercado eficiente os dados de algum investimento que pareça ser superior, como eu tenho feito, a resposta recairá sobre o seguinte: "esse retorno maior pode ser explicado pelo risco oculto" (o recurso seria dizer: "você não tem dados de um número suficiente de anos").

De vez em quando experimentamos períodos em que tudo vai bem, e investimentos mais arriscados nos entregam os retornos maiores que parecem prometer. Esses períodos de despreocupação fazem as pessoas acreditarem que, para obter maiores retornos, tudo de que precisam é realizar investimentos mais arriscados. Mas ignoram algo que é facilmente esquecido nos tempos de fartura: isso não pode ser verdade, pois, se os investimentos mais arriscados produzissem maiores retornos de forma confiável, então não poderíamos dizer que eles são mais arriscados.

Às vezes, as pessoas aprendem uma lição essencial. Percebem que nada — certamente, nem a aceitação indiscriminada do risco — cumpre a promessa de almoço grátis e, assim, são novamente lembradas sobre as limitações da teoria do investimento.

~

Essa é a teoria e suas implicações. A principal questão é se ela está correta ou não: Será que o mercado é realmente invencível? As pessoas que tentam vencê-lo estão perdendo tempo? Os clientes que pagam taxas aos gestores de investimentos estão desperdiçando seu dinheiro? Como a maioria das outras coisas no meu mundo, as respostas não são simples... e, certamente, não podem ser respondidas com "sim" ou "não".

Não acredito que a noção de eficiência de mercado mereça ser imediatamente descartada. Em princípio, é justo concluir que, se milhares de pessoas racionais e capazes de fazer cálculos coletarem informações sobre um ativo e o avaliarem de forma criteriosa e objetiva, o preço do ativo não deverá ficar muito distante de seu valor intrínseco. Os erros de precificação não devem ser comuns; isso significa que deve ser difícil vencer o mercado.

Na verdade, algumas classes de ativos são bastante eficientes. Na maioria dessas:

- a classe de ativos é amplamente conhecida e tem um amplo número de seguidores;
- a classe é socialmente aceitável, não controversa ou tabu;
- os méritos da classe são claros e compreensíveis, pelo menos aparentemente; e
- as informações sobre a classe e seus componentes são distribuídas de forma ampla e uniforme.

Se essas condições forem atendidas, não há razão para que a classe de ativos seja sistematicamente negligenciada, mal interpretada ou subestimada.

Veja o exemplo do câmbio. O que determina os movimentos de uma moeda em relação a outra? Taxas de crescimento futuras e taxas de inflação. É possível que uma única pessoa seja capaz de saber sistematicamente muito mais sobre esses determinantes do que todas as outras? Provavelmente não. E, se não, então ninguém deve ser capaz de obter retornos ajustados pelo risco regularmente acima da média por meio de negociação cambial.

E os principais mercados de ações, como a Bolsa de Valores de Nova York? Aqui milhões de pessoas estão prospectando, motivadas pelo desejo de lucro. Todas possuem as mesmas informações; na verdade, um dos objetivos da nossa regulamentação de mercado é que todos devem, ao mesmo tempo, ter acesso às mesmas informações das empresas. Com milhões de pessoas fazendo análises semelhantes com base em informações semelhantes, com que frequência as ações acabam sendo mal precificadas e com que regularidade uma pessoa pode detectar erros nos preços?

Resposta: com pouca frequência e de forma pouco confiável. Mas essa é a essência do pensamento de segundo nível.

Pensadores de segundo nível sabem que, para alcançar resultados superiores, precisam ter uma vantagem em relação às informações, à análise ou a ambas. Eles estão alertas para os casos de uma percepção errônea. Meu filho, Andrew, é um investidor em ascensão; ele tem muitas ideias para realizar investimentos atraentes, todas baseadas em fatos atuais e perspectivas do futuro. Mas ele foi bem treinado. Sua primeira pergunta-teste é sempre a mesma: "Quem *não* sabe disso?".

No vocabulário da teoria, pensadores de segundo nível confiam na *ineficiência*. O termo *ineficiência* generalizou-se nos últimos quarenta anos como

32

contraponto à crença de que os investidores não podem vencer o mercado. Penso que descrever um mercado como ineficiente é uma maneira de dizer que ele está propenso a erros que podem ser aproveitados.

De onde vêm os erros? Vamos considerar as suposições que sustentam a teoria dos mercados eficientes:

- há muitos investidores se esforçando de forma árdua;
- eles são inteligentes, diligentes, objetivos, motivados e bem equipados;
- todos têm acesso às informações disponíveis, e o acesso a elas é semelhante; e
- estão todos abertos a comprar, vender ou vender a descoberto (ou seja, apostar contra) todos os ativos.

Por essas razões, a teoria diz que todas as informações disponíveis serão transformadas, sem percalços e de forma eficiente, em preços e gerarão sinais sempre que surgirem discrepâncias de preço/valor, para que essas discrepâncias sejam descartadas.

Mas é impossível afirmar que os preços de mercado estão sempre certos. Na verdade, se verificarmos as quatro suposições listadas, uma se destaca como particularmente tênue: a objetividade. Os seres humanos não são máquinas de computação sem emoções. De fato, a maioria das pessoas é motivada por ganância, medo, inveja e outras emoções que tornam a objetividade impossível e oferecem espaço para erros consideráveis.

Da mesma forma, o que dizer sobre a quarta suposição? Consideramos que os investidores estão supostamente abertos a qualquer ativo — e tanto a possuí-lo quanto a vendê-lo a descoberto —, mas a verdade é muito diferente. A maioria dos profissionais trabalha com certos nichos específicos de mercado, alguns trabalham no departamento de renda variável, outros são gestores de títulos. E a porcentagem de investidores que vendem a descoberto é realmente pequena. Quem, então, toma e implementa as decisões que afastariam os erros relativos de precificação entre as classes de ativos?

Um mercado caracterizado por erros e precificações errôneas pode ser vencido por pessoas que possuam uma percepção rara. Assim, a existência de ineficiências dá origem à possibilidade da *performance* superior e é uma condição necessária para isso. Entretanto, elas não garantem esse resultado.

Um mercado ineficiente, como o entendo, é caracterizado por pelo menos uma (e provavelmente, como resultado, por todas) das seguintes características:

- Os preços de mercado estão frequentemente errados. Tendo em vista a grande imperfeição do acesso à informação e de sua subsequente análise, os preços de mercado costumam estar muito acima ou muito abaixo dos valores intrínsecos;
- O retorno ajustado ao risco de uma classe de ativos pode estar muito desalinhado em relação ao de outras classes de ativos. Tendo em vista que os ativos são frequentemente avaliados a preços que divergem do justo, uma classe de ativos pode oferecer um retorno ajustado ao risco significativamente muito alto (um almoço grátis) ou muito baixo em relação a outras classes de ativos; e
- Alguns investidores são capazes de superar outros de forma consistente. Tendo em vista a existência de (a) grandes avaliações errôneas e (b) diferenças entre os participantes em termos de competência, discernimento e acesso à informação, é possível identificar as avaliações errôneas e lucrar regularmente com elas.

Este último ponto é muito importante em termos do que quer dizer e do que não quer. Os mercados ineficientes não garantem necessariamente retornos generosos aos seus participantes. Na verdade, acredito que ofereçam a matéria-prima — erros de precificação — para que algumas pessoas possam ganhar e outras perder com base em alguma competência diferencial. Se os preços podem estar muito errados, isso significa a possibilidade da existência de pechinchas ou de preços excessivos. Em um mercado ineficiente, para cada boa compra, há alguém vendendo muito barato. Um dos grandes ditados do pôquer é que em todo jogo há um jogador ruim, conhecido como peixe. Se você jogou por 45 minutos e ainda não descobriu quem é o peixe, então ele é você. Isso também se aplica ao investimento em mercados ineficientes.

"WHAT'S IT ALL ABOUT, ALPHA?" (DO QUE SE TRATA, ALFA?) 11 DE JULHO DE 2001

No grande debate sobre eficiência e ineficiência, concluí que não existe mercado estabelecido totalmente sobre apenas uma das duas. É só uma questão de gradação. Aprecio profundamente as oportunidades que a ineficiência pode proporcionar, mas também respeito o conceito de eficiência de mercado; além disso, também creio fortemente que os principais mercados de valores mobiliários chegam a ser tão eficientes que a busca por vencedores acaba se tornando uma grande perda de tempo.

A conclusão sobre essa reflexão parece-me interessante: a eficiência não é tão universal a ponto de fazer com que desistamos do desempenho superior.

Ao mesmo tempo, eficiência é aquilo que os advogados chamam de "presunção refutável" — algo que se presume verdadeiro até que se apresentem provas contrárias. Devemos, então, assumir que a eficiência será um obstáculo para realizarmos o que desejamos, a menos que tenhamos boas razões para acreditar, em um caso apresentado, que não seja.

O respeito pela eficiência diz que, antes de tomarmos alguma atitude, devemos nos fazer algumas perguntas: será que os erros e as precificações errôneas foram afastados por meio dos esforços conjuntos dos investidores? Ou ainda existem? E por quê?

Devemos pensar assim:

- Por que existem pechinchas se há milhares de investidores sempre prontos e dispostos a oferecer um preço maior para qualquer coisa que seja muito barata?
- Quando o retorno parece demasiadamente generoso em relação ao risco, será que podemos estar nos esquecendo de algum risco oculto?
- Por que o vendedor do ativo estaria disposto a se desfazer dele a um preço que pode nos oferecer um retorno excessivo?
- Será que realmente sabemos mais sobre o ativo do que o vendedor?
- Se a proposta é tão boa, por que o ativo ainda não foi vendido?

Outra coisa que se deve levar em consideração: só porque existem eficiências hoje não quer dizer que sejam eternas.

Aqui o ponto principal reside no fato de a ineficiência ser condição necessária para a obtenção de retornos superiores. Tentar obter desempenho superior em um mercado perfeitamente eficiente é como um cara ou coroa: nossa melhor probabilidade é de 50%. Para que investidores estejam um passo à frente, é preciso haver ineficiências no processo subjacente — imperfeições, erros de precificação — que possam ser aproveitadas.

Mas, mesmo que tomemos sua existência como certa, isso não garante que vamos superar o mercado. Os preços nem sempre são justos, e há erros: alguns ativos estão subvalorizados; outros, sobrevalorizados. E ainda precisamos ter uma percepção maior que a dos outros investidores para que consigamos comprar regularmente mais ativos do primeiro tipo e menos do segundo. Muitas das melhores pechinchas, em qualquer momento, são encontradas naquilo que outros investidores não podem fazer ou não querem fazer. Deixemos que acreditem que mercados não podem ser vencidos. A abstenção daqueles que não se expõem cria oportunidades para quem se arrisca.

Será que a teoria do investimento, com sua noção de eficiência de mercado, equivale a uma lei física, universalmente verdadeira? Ou é apenas uma noção fantasiosa e irrelevante que deve ser ignorada? Não: é uma questão de equilíbrio — decorrente da aplicação de um senso comum bem informado. Pessoalmente, a transformação de minha trajetória como gestor de investimentos se deu quando compreendi a relevância da noção de eficiência de mercado; a partir daí, concluí que deveria limitar meus esforços a mercados relativamente ineficientes, pois neles a competência e o trabalho árduo são mais bem recompensados. Apoiei-me em embasamento teórico, o que evitou desperdício de tempo com mercados convencionais, mas há limites na teoria, e compreendi que não é preciso aceitar completamente os argumentos contrários à gestão ativa.

Em suma, acredito que a teoria deve embasar nossas decisões sem dominá-las. Ignorar a teoria por completo pode ser um grande erro. Podemos nos enganar, imaginar que é possível saber mais do que todos os outros e, com isso, vencer com regularidade em mercados altamente populosos. Podemos comprar ativos por seus retornos e, ao mesmo tempo, ignorar seu risco; adquirir cinquenta ativos correlacionados ao concluir equivocadamente que estamos diversificando...

Por outro lado, aceitar a teoria em sua integralidade pode nos fazer desistir das pechinchas, entregar o processo para um computador e deixar de obter a contribuição de algumas pessoas muito competentes. A imagem aqui é a do professor de finanças que acredita na hipótese do mercado eficiente e está dando uma volta com um aluno.

— Não é uma nota de 10 dólares no chão? — pergunta o aluno.

— Não, não pode ser uma nota de 10 dólares — responde o professor. — Se fosse, alguém já teria pegado a nota.

O professor vai embora, e o aluno pega a nota e toma uma cerveja.

"What's it all about, alpha?" (Do que se trata, alfa?) 11 de julho de 2001

3

O mais importante é...
o valor

A estimativa precisa do valor intrínseco é o ponto de partida indispensável para que possamos investir de forma positivamente confiável. Sem ela, qualquer esperança de êxito contínuo como investidor é exatamente isto: uma esperança.

A regra de investimento mais antiga é também a mais simples: compre na baixa, venda na alta. Isso parece algo extremamente óbvio: quem faria algo diferente? Mas o que essa regra realmente significa? Mais uma vez, óbvio — na superfície, significa que você deve comprar algo por um preço baixo e vendê-lo por um preço alto. Mas, por sua vez, o que *isso* quer realmente dizer? O que é alto(a) e o que é baixo(a)?

Em um nível superficial, é possível aceitar que isso significa que o objetivo é comprar algo por menos do que será vendido. Entretanto, uma vez que a venda somente acontecerá no final do processo, isso não nos ajuda muito a descobrir qual o preço de compra adequado para hoje. Precisamos ter algum padrão objetivo para os termos "alto(a)" e "baixo(a)"; e o padrão mais útil seria o valor intrínseco do ativo. Agora o significado do ditado fica claro: compre por um preço abaixo do valor intrínseco e venda por um preço acima. É óbvio que, para isso, precisamos ter uma boa ideia do que é valor intrínseco. Uma estimativa precisa do valor intrínseco é o ponto de partida indispensável.

~

Para simplificar (ou simplificar demais), todas as abordagens para investir em ativos de empresas podem ser divididas em dois tipos básicos: aquelas baseadas na análise dos atributos da empresa, conhecidos como "fundamentos", e aquelas baseadas em estudos do comportamento dos preços dos próprios ativos.

Em outras palavras, um investidor tem duas opções básicas: avaliar o valor intrínseco subjacente do ativo e comprar ou vender sempre que o preço divergir desse valor, ou basear suas decisões puramente nas expectativas relativas aos movimentos dos preços futuros.

Falarei primeiro desta última, pois não acredito nela e consigo descartá-la de imediato. *A análise técnica de ações*, isto é, o estudo do comportamento histórico dos preços das ações, tem sido praticada desde que entrei para o ramo (e bem antes disso), mas essa é uma ferramenta em declínio. As observações atuais sobre os padrões históricos dos preços podem ser usadas para complementar a análise fundamentalista; atualmente, no entanto, não vemos muitas pessoas tomando decisões com base, principalmente, naquilo que os movimentos dos preços lhes dizem.

Parte do declínio da análise técnica pode ser atribuída à *hipótese do passeio aleatório*, um componente da teoria da Escola de Chicago, desenvolvida no início da década de 1960, principalmente pelo professor Eugene Fama. A hipótese do passeio aleatório diz que os movimentos dos preços passados de uma ação não ajudam a prever movimentos futuros. Em outras palavras, é um processo aleatório, semelhante ao cara e coroa. Todos sabemos que, mesmo que obtenhamos dez caras seguidas, a probabilidade de o próximo lançamento da moeda para cima resultar em cara continuará sendo de 50%. Da mesma forma, informa-nos a hipótese, o fato de o preço de uma ação ter aumentado nos últimos dez dias não nos diz nada sobre o que acontecerá amanhã.

Outra forma de confiar nos movimentos dos preços das ações no passado para obter alguma informação é um método de investimento chamado de *momentum*.[2] Ele também contraria a hipótese do passeio aleatório. Não sou capaz de defendê-lo. Como vejo, investidores que praticam essa abordagem operam sob a suposição de que podem prever a continuidade do aumento de uma ação que já estava em tendência de subida.

O método *momentum* de investimento teoricamente nos permitiria participar de um mercado que se mantém em tendência de alta, mas isso acarreta muitas desvantagens. Uma delas se refere à observação irônica do economista Herb Stein: "se algo não pode continuar para sempre, parará em algum momento". Então, o que acontece com investidores que seguem esse método? Como essa abordagem os ajudará a vender a tempo para evitar perdas? E o que farão em mercados em queda?

---

2. Em inglês, *momentum investing*. Investir de acordo com a tendência do momento. Por essa estratégia, deve-se comprar ativos que tiveram altos rendimentos nos últimos meses e vender os que tiveram baixos rendimentos. (N.T.)

Parece claro que o *momentum* não é uma forma inteligente de posicionamento. O exemplo mais claro disso ocorreu de 1998 a 1999, com o surgimento dos *day traders*, pessoas de outros ramos de atuação, sem experiência em investimentos, que foram seduzidas pela esperança de ganhar dinheiro fácil com o *boom* das ações do setor de tecnologia, mídia e telecomunicações. Raramente mantinham suas posições da noite para o dia, uma vez que isso exigiria que pagassem por elas, e tentavam adivinhar, várias vezes em um mesmo dia, se uma ação que observavam subiria ou cairia nas próximas horas.

Nunca consegui entender como as pessoas chegavam a tais conclusões. Comparo o método a ficar olhando para a rua e tentar adivinhar se o próximo a virar a esquina será uma mulher ou um homem. Os *day traders* acreditavam que haviam feito um bom trabalho se comprassem uma ação por 10 dólares e a vendessem por 11 dólares, a comprassem de novo, na semana seguinte, por 24 dólares e a vendessem por 25 dólares e, por fim, a comprassem uma semana depois por 39 dólares e a vendessem por 40 dólares. Se você não conseguir enxergar a debilidade desse sistema — note que o operador (*trader*) ganhou 3 dólares em uma ação que, no período, valorizou 30 dólares —, talvez seja melhor não ler o resto deste livro.

~

Se nos afastarmos dos investidores de impulso (*momentum*) e de seus conselhos ineficazes, e também de todas as outras formas de investimento que evitem a análise inteligente, ficaremos com duas estratégias fundamentalistas: *investimento de valor* e *investimento de crescimento*. Em poucas palavras, o objetivo dos investidores de valor é chegar a um valor intrínseco e comprar quando o preço estiver abaixo desse valor; os investidores de crescimento tentam encontrar ativos cujo valor aumentará rapidamente no futuro.

> Para os investidores de valor, um ativo não é um conceito efêmero no qual investem por considerá-lo atrativo (ou por acreditarem que outras pessoas o consideram assim). O ativo é um objeto tangível qué deve ter um valor intrínseco passível de ser avaliado, e se for possível comprá-lo por um preço abaixo desse valor intrínseco, devem considerar fazê-lo. Assim, o investimento inteligente deve ser construído com base nas estimativas do valor intrínseco. Elas devem ser obtidas diligentemente, com análise de todas as informações disponíveis.
>
> "THE MOST IMPORTANT THING" (O MAIS IMPORTANTE), 1º DE JULHO DE 2003

O que torna um ativo — ou a empresa subjacente — valioso? Há muitos candidatos: recursos financeiros, gestão, fábricas, lojas de varejo, patentes, recursos humanos, marcas, potencial de crescimento e, acima de tudo, capacidade de gerar lucros e fluxo de caixa. De fato, a maioria das abordagens analíticas explicaria que todas essas outras características — recursos financeiros, gestão, fábricas, lojas de varejo, patentes, recursos humanos, marcas e potencial de crescimento — são valiosas precisamente porque, ao final, podem ser traduzidas em lucros e fluxo de caixa.

A ênfase do investimento em valor compõe os fatores tangíveis, como ativos físicos e fluxos de caixa. Os bens intangíveis, como talento, modismos e potencial de crescimento a longo prazo, recebem um peso menor. Há linhas de investimento em valor que focam exclusivamente os ativos físicos. Há, até mesmo, algo chamado "investimento *net-net*", no qual as pessoas compram quando o valor total de mercado das ações de uma empresa é menor do que o valor do ativo circulante da empresa — como dinheiro, recebíveis e estoques — menos o seu passivo total. Nesse caso, em teoria, seria possível comprar todas as ações da empresa, liquidar os ativos circulantes, pagar as dívidas e, ao final, manter o negócio e ficar com algum dinheiro. Se o caixa que sobrou for igual ao custo das ações e ainda houver algumas outras sobras, você terá pagado "menos que nada" pela empresa.

O investimento em valor busca o que é barato. Os investidores dessa modalidade geralmente dão atenção a métricas financeiras, como lucros, fluxo de caixa, dividendos, ativos físicos e valor empresarial, e, de acordo com elas, realçam o "comprar barato". O principal objetivo dos investidores de valor, então, é quantificar o valor atual da empresa e comprar seus ativos quando estiverem baratos.

O investimento em crescimento situa-se entre a monotonia do investimento em valor e a adrenalina da estratégia *momentum*. Seu objetivo é identificar empresas com um futuro promissor. Isso significa, por definição, que a estratégia dá menos atenção aos atributos atuais da empresa e mais ao seu potencial.

Podemos resumir a diferença entre essas duas principais escolas de investimento da seguinte forma:

- *Investidores de valor* compram ações (mesmo aquelas cujo valor intrínseco deve crescer pouco no futuro) por convicção de que o valor atual é alto em relação ao preço atual; e

- *Investidores de crescimento* compram ações (mesmo aquelas cujo valor atual é baixo em relação ao seu preço atual) porque acreditam num futuro em que o valor crescerá suficientemente rápido e produzirá uma apreciação considerável.

Assim, parece-me que não se trata de uma escolha entre valor e crescimento, mas entre valor atual e valor futuro. O investimento em crescimento representa uma aposta no desempenho da empresa que pode ou não ocorrer no futuro, enquanto o investimento em valor se baseia principalmente na análise do valor atual de uma empresa.

"THE HAPPY MEDIUM" (O BOM MEIO-TERMO), 21 DE JULHO DE 2004

Seria conveniente dizer que o investimento em valor permite que investidores *evitem* fazer conjecturas sobre o futuro e que o investimento em crescimento *consiste apenas* nelas, mas isso seria um grande exagero. Afinal de contas, para que possamos estabelecer o valor atual de uma empresa, precisamos ter uma opinião sobre seu futuro e levar em conta o provável ambiente macroeconômico, a competitividade e os avanços tecnológicos. Até mesmo um investimento *net-net* promissor pode estar condenado ao fracasso se os ativos da empresa forem desperdiçados em operações com perdas ou aquisições imprudentes.

Não há uma clara linha divisória entre valor e crescimento; ambos exigem que lidemos com o futuro. Os investidores de valor pensam no potencial de crescimento da empresa, e a escola do "crescimento a um preço razoável" presta homenagem ao valor. É tudo uma questão de gradação. No entanto, penso que o investimento em crescimento trata do futuro, enquanto o investimento em valor enfatiza as considerações atuais, mas não há como deixar de lidar com o futuro.

~

Para darmos um exemplo extremo de investimento em crescimento, voltemos aos dias das *Nifty Fifty* (as cinquenta ações mais atraentes), um modismo que contrastou com o investimento em valor e mostrou até que ponto uma mania de crescimento era capaz de chegar.

Em 1968 consegui meu primeiro emprego no setor de gestão de investimentos; trabalhei, durante as férias de verão, no Departamento de Pesquisa de Investimentos do First National City Bank (atual Citibank). O banco seguia uma abordagem conhecida como "investimento *Nifty Fifty*". Seu objetivo era identificar as empresas com as melhores perspectivas de crescimento dos lucros a longo prazo. Além da taxa de crescimento, os gestores de investimentos do banco davam prioridade à "qualidade", ou seja, à alta probabilidade de concretização das expectativas de crescimento. A ordem oficial dizia que, se uma empresa estava crescendo de forma suficientemente rápida e com boa qualidade, o preço de compra de ações deixava de ser importante. Se, com base nas métricas atuais, uma ação estivesse cara, bastaria esperar alguns anos e ela cresceria até chegar a um preço justo.

Na época, assim como hoje, as carteiras de ações em crescimento estavam fortemente voltadas para os setores farmacêutico, de tecnologia e de produtos de consumo. As carteiras do banco incluíam nomes altamente respeitados como IBM, Xerox, Kodak, Polaroid, Merck, Eli Lilly, Avon, Coca-Cola, Philip Morris, Hewlett-Packard, Motorola, Texas Instruments e Perkin-Elmer — as grandes empresas americanas, todas com perspectivas promissoras de crescimento. E já que nada de errado deveria ocorrer com essas empresas, não se hesitava em pagar alto por suas ações.

Avancemos algumas décadas; o que podemos notar nessa lista de empresas? Algumas delas, como a Kodak e a Polaroid, viram suas atividades básicas serem dizimadas por mudanças tecnológicas imprevistas. Outras, como a IBM e a Xerox, tornaram-se presas lentas, fáceis de serem consumidas pelos novos concorrentes. A lista de melhores empresas americanas daquele banco se viu eivada pela deterioração e, até mesmo, pela falência nos 42 anos posteriores à época do meu primeiro emprego. Isso é o que posso dizer sobre a persistência no crescimento de longo prazo — bem como sobre a capacidade de prevê-lo com precisão.

Comparado ao investimento em valor, o objetivo principal do investidores de crescimento é tentar encontrar grandes vencedores. Se não existissem grandes vencedores no horizonte, por que suportar a incerteza que envolve a tentativa de adivinhar o futuro? Não há dúvida: é mais difícil prever o futuro do que o presente. Desse modo, o número de vezes que, em média, os investidores de crescimento acertam deve ser menor, mas a recompensa pode ser maior. O retorno por ter conseguido prever corretamente quais empresas criariam o melhor e mais novo fármaco, o computador mais poderoso ou os filmes com melhores bilheterias deve ser bastante considerável.

Em geral, o potencial de lucro por estar certo sobre o crescimento é mais dramático, enquanto o potencial de lucro por estar certo sobre o valor é mais consistente. Minha estratégia é o investimento em valor. A meu ver, a consistência supera o drama.

Já que o investimento em valor é capaz de produzir resultados favoráveis de forma consistente, será que isso significa que é de fácil realização? Não. Por uma razão: o investimento depende de uma estimativa precisa sobre o valor. Sem ela, qualquer esperança de obter êxito de forma robusta como investidor é exatamente isto: apenas uma esperança. Se falta precisão, também acabamos tendo a mesma probabilidade de pagar a mais ou a menos. Pagando a mais, precisaremos que o valor da empresa tenha uma melhora surpreendente, de um mercado forte ou de um comprador ainda menos exigente (o que costumávamos chamar de "um tolo maior") que pague sua fiança.

Há mais. Se o investimento em valor é definido como a melhor estratégia e negocia-se tendo em vista o valor intrínseco para um título ou ativo, o próximo movimento importante é mantê-lo de forma convicta. Isso porque, no mundo dos investimentos, estar certo sobre algo não costuma ser sinônimo de estar certo agora.

É difícil sempre fazer a coisa certa como investidor. E é impossível fazer sempre a coisa certa na hora certa. O máximo que um investidor de valor pode esperar é estar correto a respeito do valor de um ativo e comprar quando ele estiver disponível por um preço mais baixo. Porém, fazer isso hoje não significa que você vai começar a ganhar dinheiro amanhã. Uma visão mantida com convicção sobre o valor pode ajudar a lidar com essa desconexão.

Digamos que se descubra algo que vale 80, mas se tenha a oportunidade de comprá-lo por 60. As chances de comprar bem abaixo do valor real não aparecem todos os dias, por isso devem ser acolhidas de forma positiva. Warren Buffett as descreve como "comprar um dólar por 50 centavos". Então a compra é realizada e o investidor se sente bem por ter feito uma coisa boa.

Mas não devemos esperar êxito imediato. Na verdade, muitas vezes, perceberemos que se compra uma ação em meio a uma tendência de baixa contínua. Em pouco tempo, notam-se as perdas. E como um dos maiores anúncios de investimento nos lembra: "Estar muito à frente do seu tempo é indistinguível de estar errado". Então, aquele ativo que vale 80 está, agora, custando 50 em vez de 60. O que deve ser feito?

Aprendemos nas primeiras aulas de microeconomia que a curva de demanda de alguma coisa é descendente para a direita; à medida que o preço sobe, a quantidade demandada diminui. Em outras palavras, as pessoas querem menos bens a preços mais altos e mais bens a preços mais baixos. Faz sentido; é por isso que as lojas vendem mais quando há liquidação de mercadorias.

É assim que funciona na maioria dos lugares; no mundo dos investimentos, no entanto, quase nunca é o que acontece. Nele, muitas pessoas tendem a se apaixonar ainda mais pela coisa que compraram à medida que seu preço sobe, pois se sentem validadas, e gostam menos quando o preço cai, porque começam a duvidar de sua decisão de compra.

Isso torna muito difícil manter a posição e comprar mais a preços mais baixos (o que os investidores chamam de fazer preço médio — em inglês, *averaging down*), especialmente se o declínio acabar se tornando muito grande. Se o valor era bom a 60, será melhor a 50... e muito mais a 40 e a 30. Não é, porém, assim tão fácil. Ninguém se sente confortável com perdas; em algum momento, todos acabam imaginando:

— Talvez eu não esteja certo. Talvez o mercado esteja.

O perigo fica extremado quando começam a pensar:

— Está muito baixo, é melhor eu sair antes que chegue a zero.

Esse é o tipo de pensamento que cria níveis mínimos e faz com que as pessoas vendam neste ponto.

> Investidores sem conhecimento (ou preocupação) relativo a lucros, dividendos, precificação ou à conduta do negócio simplesmente não têm a determinação necessária para fazer a coisa certa no momento certo. Quando veem todos ao seu redor comprando e ganhando dinheiro, não conseguem saber se a ação está muito cara e, portanto, resistir à compra. E com um mercado em queda livre, talvez não tenham a confiança necessária para manter sua posição ou comprar a preços muito reduzidos.
>
> "Irrational exuberance" (Exuberância irracional), 1º de maio de 2000

Quando a opinião precisa sobre o valor não é mantida com convicção, ela só é capaz de oferecer ajuda limitada. Uma opinião incorreta sobre o valor, mantida com convicção, é muito pior. Essa afirmação, por si só, nos mostra como é difícil acertar tudo.

~

Ofereça uma dose de soro da verdade à maioria dos investidores — e certamente também à maioria dos investidores amadores — e, em seguida, pergunte a eles qual abordagem utilizam para investir. A resposta inevitável será: "busco ativos que subirão de preço".

A procura pelo lucro, entretanto, deve ser baseada na tangibilidade. Do meu ponto de vista, o melhor candidato a atingi-la é o valor intrínseco que se obtém da análise fundamentalista. Estimativas precisas do valor intrínseco formam a base essencial para a realização de investimentos estáveis, não emotivos e potencialmente rentáveis.

Investidores de valor obtêm seus maiores lucros quando compram um ativo subvalorizado, adicionam mais ações ao preço mais baixo (preço médio) e analisam a situação corretamente. Assim, existem dois ingredientes essenciais para se obter lucro em um mercado em baixa: precisamos ter uma visão sobre o valor intrínseco e manter essa visão com bastante convicção, para que não vendamos e para que compremos, mesmo que a queda de preços sugira uma escolha errada. E há um terceiro ingrediente: devemos estar certos.

4

O mais importante é...
a relação entre preço e valor

> Não é "comprando coisas boas" que obtemos êxito em nossos investimentos, mas quando "compramos bem as coisas".

Imagine que estejamos convencidos da eficácia do investimento em valor e conseguimos estimar o valor intrínseco de uma ação ou de outro ativo; digamos, ainda, que a estimativa esteja correta. Ainda não acabamos. Para sabermos qual ação comprar, é necessário analisar o preço do ativo em relação ao seu valor. O estabelecimento de uma relação saudável entre os fundamentos — valor — e o preço é um dos principais elementos do bom investimento.

O preço deve ser o ponto de partida do investidor de valor. É fato conhecido que nenhum ativo é tão bom que não possa se tornar um investimento ruim se for comprado a um preço muito alto. E há poucos ativos que sejam tão ruins que não possam ser um bom investimento quando forem comprados suficientemente baratos.

Quando as pessoas dizem de forma categórica "nós só compramos A" ou "A é uma classe de ativos superior", isso soa muito como "compraríamos A a qualquer preço... e, além disso, o compraríamos antes de B, C ou D". Isso só pode ser um erro. Nenhuma classe de ativos ou investimento possui, meramente por sua origem, altas taxas de retorno. Eles serão atrativos se o seu preço estiver correto. Quando ponho meu carro à venda, espero que o potencial comprador queira saber o preço antes de aceitar minha proposta. Assim, seria igualmente tolo decidir-se por um investimento sem considerar cuidadosamente se o seu preço é justo ou não. Isso é exatamente o que as pessoas fazem quando decidem que, sem qualquer avaliação disciplinada de valor, desejam possuir algo, como ocorreu com as ações de tecnologia no final da década de 1990, ou quando simplesmente decidem que não querem algo, como fizeram com os títulos especulativos[3] na década de 1970 e início da década de 1980.

Resumindo: não existe boa ou má ideia independentemente do preço!

"THE MOST IMPORTANT THING" (O MAIS IMPORTANTE), 1º DE JULHO DE 2003

~

Uma premissa fundamental da hipótese do mercado eficiente — que faz todo sentido — diz que, se comprarmos algo por seu valor justo, obteremos um retorno adequado, dado o risco. Mas os investidores ativos não estão nessa atividade para obter retornos ajustados aos riscos justos; eles querem retornos superiores (se há satisfação com retornos justos, por que não investir passivamente em um fundo de índice e evitar vários problemas?). Então, é muito comum comprar pelo valor intrínseco, e pagar por alguma coisa *mais* do que ela vale é claramente um erro; é preciso muito trabalho ou muita sorte para transformar algo comprado a um preço muito alto em um bom investimento.

Estão lembrados do investimento nas *Nifty Fifty* que descrevi no capítulo anterior? Em suas altas, muitas empresas vigorosas alavancadas pelo modelo ostentavam quocientes preço/lucro (a relação entre o preço da ação e o lucro por ação) entre 80 e 90 (para efeito comparativo, o quociente preço/lucro médio do pós-guerra para ações girava, em geral, entre 15 e 17). Nenhum dos investidores desse modelo parecia se preocupar com avaliações tão elevadas.

Então, em pouco tempo, tudo mudou. No início da década de 1970, o mercado de ações arrefeceu, fatores exógenos como a crise do petróleo e o aumento da inflação ofuscaram o quadro geral: as ações das *Nifty Fifty* entraram em colapso. Em alguns anos, os quocientes preço/lucro de 80 ou 90 caíram para 8 ou 9; os investidores das melhores empresas americanas haviam perdido 90% de seu dinheiro. Embora as pessoas tenham comprado ações de grandes empresas, pagaram o preço errado. Na Oaktree costumamos dizer que só se vende bem o que se compra bem. Não gastamos muito tempo pensando no preço a que conseguiremos vender, nem quando, nem para quem, nem por quais meios. Se comprarmos por um preço baixo, essas informações serão obtidas em algum momento, de qualquer forma. Se a estimativa do valor intrínseco estiver correta, o preço de um ativo acaba, com o tempo, convergindo para o seu valor.

---

3. Em inglês, *junk bonds*. São títulos que, por sua classificação de risco, não são *investment-grade*. Por isso, são mais arriscados, podem gerar rendimentos mais elevados e envolvem maior risco de não cumprimento. (N.T.)

Quanto as empresas valem? Ao final, tudo se resume a isso. Não basta comprar uma ação de uma boa ideia, nem mesmo de um bom negócio. Precisamos comprá-la a um preço razoável (ou, se possível, a um preço de pechincha).

"BUBBLE.COM" (BOLHA.COM), 3 DE JANEIRO DE 2000

⁓

Tudo isso levanta a questão: como o preço é composto? Em que um potencial comprador deve prestar atenção para ter certeza de que a precificação está correta? No valor fundamental subjacente, é claro, mas, na maioria das vezes, o preço de um ativo será, no mínimo, afetado da mesma forma por outros dois fatores — psicológico e técnico —, o que determinará primariamente as flutuações de curto prazo.

A maioria dos investidores — o que compreende, sem dúvida, os amadores — conhece pouco sobre os fatores técnicos. Estes não são considerados fundamentais — ou seja, infere-se que não estão ligados ao valor — para afetar a oferta e a procura por ativos. Dois exemplos: a venda forçada que ocorre quando as crises dos mercados fazem com que investidores alavancados recebam *margin calls*[4] e tenham de vender a preços muito baixos; e as entradas de dinheiro para fundos mútuos que obriguem os gestores a comprar. Em ambos os casos, as pessoas são levadas a negociar ativos sem considerar o preço.

Acredite em mim, não há nada melhor do que comprar de alguém que, durante uma crise, precisa vender, independentemente do preço. Muitas das melhores compras que já fizemos na Oaktree ocorreram por essa razão. Devemos, no entanto, fazer duas observações:

- não há como fazer carreira comprando de pessoas forçadas a vender e vendendo para as que são impelidas a comprar; essas oportunidades não estão por perto o tempo todo, apenas em raras ocasiões, nos pontos extremos de crises e bolhas; e,
- uma vez que comprar de quem é obrigado a vender configura a melhor coisa do nosso mundo, *ser* um desses vendedores é a pior coisa. Isso significa que é essencial organizar os negócios para que seja possível manter nossa posição e não vender, mesmo nos piores momentos. Isso requer capital de longo prazo e fortes recursos psicológicos.

---

4. Exigência para que sejam oferecidas mais garantias a uma dívida. (N.T.)

E isso me leva ao segundo fator que exerce uma forte influência no preço: o psicológico. É impossível exagerar a importância dele. Na verdade, é tão vital que dedico vários capítulos à discussão sobre a psicologia dos investidores e sobre a forma de lidar com suas manifestações.

Se, por um lado, a chave para a determinação do valor é a análise financeira qualificada, por outro, a utilizada para entender o quociente preço/valor (e suas perspectivas) insere-se, em grande parte, na percepção do funcionamento da mente de outros investidores. Estes podem, por razões psicológicas, fazer com que o preço de um ativo se estabeleça em qualquer nível no curto prazo, independentemente dos seus fundamentos.

> A disciplina mais importante não é a contabilidade nem a economia, é a psicologia. É importante saber quem gosta e quem não gosta do investimento neste exato momento. As mudanças futuras de preços serão determinadas de acordo com a apreciação dos ativos por mais ou menos pessoas no futuro.
>
> Investir assemelha-se a um concurso de popularidade em que a ação mais perigosa é comprar algo no auge de sua popularidade. Nesse ponto, todos os fatos e opiniões favoráveis já estão contabilizados no preço, e não aparecem novos investidores desejando comprá-los.
>
> A ação mais segura e potencialmente lucrativa seria comprar quando o ativo não é desejado por ninguém. Com o tempo, sua popularidade e, portanto, seu preço só podem seguir um sentido: para cima.
>
> "RANDOM THOUGHTS ON THE IDENTIFICATION OF INVESTMENT OPPORTUNITIES" (PENSAMENTOS ALEATÓRIOS SOBRE A IDENTIFICAÇÃO DAS OPORTUNIDADES DE INVESTIMENTO), 24 DE JANEIRO DE 1994

Claramente, essa é mais uma área (a) de importância crítica e (b) extremamente difícil de ser dominada. Em primeiro lugar, a psicologia é fugidia. E, em segundo, os fatores psicológicos que afetam a mente de outros investidores e influenciam suas ações nos afetarão também. Como mostraremos em capítulos posteriores, essas forças tendem a levar as pessoas a agir de modo oposto ao de um investidor competente. Então, para que possamos nos proteger, devemos investir tempo e energia para entender a psicologia do mercado.

É essencial apreender que a avaliação fundamentalista será apenas uma das variáveis que determinarão o preço de um ativo no dia de sua compra. Também precisamos manter os fatores técnicos e psicológicos ao nosso lado.

Em oposição ao investimento em valor consciente, temos a busca indiscriminada de bolhas, nas quais o quociente preço/valor é totalmente ignorado. Todas as bolhas começam com alguma pitada de verdade:

- tulipas são lindas e raras (na Holanda do século 17);
- a internet vai mudar o mundo;
- o investimento em imóveis é capaz de acompanhar a inflação; além disso, sempre poderemos viver em uma casa.

Alguns investidores inteligentes descobrem (ou talvez até mesmo preveem) essas verdades, investem no ativo e começam a lucrar. Em seguida, outros entendem a ideia — ou apenas percebem que as pessoas estão ganhando dinheiro — e também compram, elevando o preço do ativo. No entanto, à medida que o preço sobe, eles se sentem cada vez mais encorajados pela possibilidade de ganhar dinheiro fácil e avaliam cada vez menos a adequação do preço. É uma interpretação extrema do fenômeno que descrevi anteriormente: as pessoas deveriam apreciar menos um ativo quando seu preço sobe; na seara dos investimentos, entretanto, elas costumam gostar mais desse tipo de ativo.

Entre 2004 e 2006, por exemplo, diziam-se coisas boas sobre os investimentos em imóveis: o desejo de participar do sonho americano da casa própria; a capacidade de se beneficiar da inflação; o fato de que os empréstimos hipotecários eram baratos e os pagamentos seriam dedutíveis; e, por fim, o conhecimento popular de que "os preços das casas só aumentam". Sabemos o que aconteceu com aquela pequena pérola de sabedoria.

O que dizer sobre a ideia infame de que não há como perder com esse investimento? Na bolha tecnológica, os compradores não se preocupavam com os preços altos de uma ação, pois tinham certeza de que alguém sempre estaria disposto a pagar mais por ela. Infelizmente, a teoria de que sempre haverá alguém mais tolo funciona até o momento em que deixa de funcionar. A avaliação passa, em algum momento, a fazer parte do jogo; e aqueles que estiverem carregando muitas ações sem valor terão de enfrentar as consequências.

- Os pontos positivos das ações podem ser genuínos e, ainda assim, produzir perdas se o preço pago por elas for muito alto.
- Esses pontos positivos (e os enormes lucros que aparentemente todos os outros vêm obtendo) podem eventualmente fazer com que os resistentes à participação no negócio se rendam e comprem.

50

- Uma ação, um grupo ou mercado atinge o topo quando o último investidor reticente se torna um comprador. O momento em que isso ocorre não costuma estar relacionado com a evolução dos fundamentos.
- "Os preços estão muito altos" está longe de ser sinônimo de "o próximo movimento será de queda". Pode haver sobrepreço e a manutenção dele por muito tempo... ou os ativos podem encarecer ainda mais.
- Em algum momento, porém, a avaliação acaba prevalecendo.

"BUBBLE.COM" (BOLHA.COM), 3 DE JANEIRO DE 2000

O problema é que, nas bolhas, "atraente" se torna "atraente a qualquer preço". As pessoas costumam dizer: "não é barato, mas acho que vai continuar subindo por causa do excesso de liquidez" (ou por qualquer outra série de razões). Em outras palavras, é dito: "está caro, mas acho que vai ficar mais caro". Comprar ou manter a posição com base nesse raciocínio é extremamente arriscado, no entanto, é assim que as bolhas funcionam.

No momento em que se formam, a paixão pelo *momento* do mercado supera qualquer noção de valor e preço justo ou adequado, e a ganância (além da dificuldade de nada fazer enquanto os outros ganham dinheiro aparentemente fácil) neutraliza qualquer prudência que, em outra situação, seria predominante.

Resumindo, acredito que a estratégia de investimento mais confiável é aquela que se baseia em algum valor genuíno. Em contraste, contar com os outros para obter lucro, independentemente do valor, contando com uma bolha, é provavelmente a estratégia menos acertada.

~

Considere alguns caminhos possíveis para obter lucros de um investimento:

- *Beneficiar-se do aumento no valor intrínseco do ativo.* O problema é que aumentos de valor são difíceis de prever com precisão. Além disso, convencionalmente, os ativos já incluem em seus preços os possíveis acréscimos, o que significa que, a menos que tenhamos uma visão diferente e melhor que a do consenso, é provável que já estejamos pagando pelos possíveis aumentos. Em certas áreas de investimento — mais notadamente em *private equity*[5] e imóveis —, os "investidores de controle" podem se esforçar para criar

---

5. É um tipo de investimento que financia empresas de médio porte ainda não listadas em bolsa. Em geral, este negócio possui menor risco e menor potencial de retorno em relação ao *venture capital*. (N.R.T.)

aumentos no valor por meio da gestão ativa do ativo. Isso vale a pena, mas é demorado e incerto, requer profissionais muito especializados. Além disso, pode ser difícil melhorar, por exemplo, uma empresa que já é boa.

- *Aplicar a alavancagem financeira.* O problema aqui é que essa modalidade — comprar com dinheiro emprestado — não torna um investimento melhor nem aumenta a sua probabilidade de lucros. Ela simplesmente potencializa possíveis lucros ou prejuízos. E, ainda, introduz o risco de perda sempre que a carteira não conseguir satisfazer um teste de valor contratual e os credores puderem exigir seu dinheiro de volta em um momento em que os preços e a liquidez estão deprimidos. Ao longo dos anos, a alavancagem tem sido associada a altos retornos, bem como a perdas e crises espetaculares.
- *Vender o ativo por mais do que vale.* Todos esperam que surja um comprador disposto a pagar mais pelo que temos a vender. É óbvio, entretanto, que não podemos contar com a chegada desse "trouxa". Ao contrário de ter um ativo subestimado que atinja seu valor justo, esperar que um ativo com preço justo ou sobreprecificado fique mais valorizado requer uma irracionalidade por parte dos compradores em que não se pode confiar.
- *Comprar algo por menos do que vale.* Tenho convicção de que é disso que se trata — a maneira mais confiável de ganhar dinheiro. Comprar algo com desconto em relação ao seu valor intrínseco e aguardar que o preço do ativo se mova em direção ao seu valor não requer boa sorte, mas, sim, que os participantes do mercado acordem para a realidade. Quando o mercado está funcionando corretamente, o valor exerce uma atração magnética sobre o preço.

De todos os caminhos possíveis para se obter lucro nos investimentos, comprar barato é claramente o mais confiável. No entanto, isso não é sinônimo de garantia. Podemos estar errados sobre o valor atual. Ou podem acontecer eventos que reduzam esse valor. Ou a deterioração das atitudes ou dos mercados pode fazer com que ativos sejam vendidos abaixo de seu valor. Ou a convergência entre preço e valor intrínseco pode levar mais tempo do que dispomos... Segundo John Maynard Keynes, "o mercado pode permanecer irracional por mais tempo do que o investidor é capaz de se manter solvente".

Tentar comprar abaixo do valor não é infalível, mas é a melhor chance que temos.

5

O mais importante é...
entender o risco

Risco significa que podem acontecer mais coisas do que as que acontecerão.

ELROY DIMSON

Investir consiste exatamente em uma coisa: dar atenção ao futuro. E como nenhum de nós é capaz de ter certeza sobre os acontecimentos futuros, o risco é algo inevitável; é *o* elemento essencial para a realização de investimentos. Não é difícil definir ativos que têm potencial de alta. Caminhamos na direção correta quando encontramos um número suficiente desses investimentos. Mas é improvável que tenhamos êxito por muito tempo se não dermos atenção explícita ao risco. Entendê-lo configura o primeiro passo nesse sentido; o segundo é reconhecer quando há alto risco. O último passo importante é controlá-lo. Já que a questão é muito complexa e importante, dedico três capítulos à análise do risco em profundidade.

~

Por que digo que a avaliação do risco é um elemento essencial no processo de investimento? Há três fortes razões.

Primeiro, o risco é algo ruim e, por isso, a maioria dos investidores quer minimizá-lo. Em finanças, assumimos que as pessoas são naturalmente avessas ao risco, o que significa que preferem evitá-lo. Assim, para começar, quando um investidor deseja realizar uma determinada negociação, precisa fazer julgamentos sobre os seus riscos e entender se é capaz de conviver com eles.

Segundo, quando desejamos investir, a decisão deve ser em função dos riscos incorridos, bem como dos rendimentos potenciais. Tendo em vista a aversão ao primeiro, investidores devem ser estimulados pela possibilidade de maiores rendimentos prospectivos — para que possam assumir mais riscos. Simplificando, se tanto uma nota do tesouro americano quanto as ações de pequenas empresas tivessem a possibilidade de render 7% ao ano, todos correriam para comprar aquela (aumentando seu preço e reduzindo o retorno prospectivo) e liquidar estas (diminuindo seu preço e, assim, aumentando seu retorno). Supõe-se que o processo de ajuste dos preços relativos, que os economistas chamam de *equilíbrio*, faça com que os retornos prospectivos sejam proporcionais ao risco.

Assim, além de determinar sua capacidade de suportar a quantidade absoluta de riscos assumidos, o investidor precisa decidir se o rendimento de um determinado investimento justifica ou não o risco assumido. Claramente, o retorno nos conta apenas metade da história e, por isso, se faz necessária uma avaliação de risco.

Terceiro, quando consideramos os resultados de um investimento, o rendimento, por si só possui um significado limitado; o risco assumido também precisa ser avaliado. Os rendimentos foram obtidos com instrumentos seguros ou arriscados? Com títulos de renda fixa ou ações? Com grandes empresas consolidadas ou com empresas menores e mais instáveis? Com ações e títulos líquidos ou *private placements*[6] ilíquidos? Com ajuda de alavancagem ou sem? Com uma carteira concentrada ou diversificada?

É certo que, quando os investidores recebem suas declarações de resultados e descobrem que sua conta ganhou 10% no ano, eles não sabem dizer se seus gerentes financeiros trabalharam bem ou não. Para chegar a essa conclusão, precisam ter alguma ideia de quanto risco seus gestores correram. Em outras palavras, precisam avaliar o "retorno ajustado ao risco".

É com base na relação entre risco e retorno que surge o gráfico que se tornou onipresente no mundo dos investimentos (figura 5.1). Ele mostra a "linha do mercado de capitais" como uma curva ascendente para a direita, indicando a relação positiva entre risco e retorno. Os mercados se organizam de modo que os ativos mais arriscados pareçam oferecer maiores retornos. Se não fosse esse o caso, quem os compraria?

O conhecido gráfico da relação entre risco e retorno é elegante em sua simplicidade. Infelizmente, muitos tiram uma conclusão errada sobre ele e isso os põe em apuros.

---

6. Oferta de valores mobiliários para investidores superqualificados, sem esforços de vendas. (N.T.)

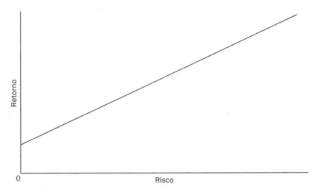

Figura 5.1

Especialmente durante os períodos bons, muitas pessoas costumam dizer que os investimentos mais arriscados são os que proporcionam maiores retornos. E que, por isso, quem quer ganhar mais dinheiro deve correr mais riscos. Ocorre que não podemos afirmar que os investimentos mais arriscados oferecem maiores retornos. Por que não? É simples: se os investimentos mais arriscados produzissem retornos mais altos, não seriam mais arriscados!

A formulação correta é que, para atrair capital, investimentos mais arriscados devem oferecer a perspectiva de maiores retornos, ou de maiores retornos prometidos, ou maiores retornos esperados. Mas não há absolutamente nada que garanta que esses retornos prospectivos mais altos vão realmente ocorrer.

A forma como vejo a linha de mercado de capital torna mais fácil a compreensão da relação subjacente a tudo isso (figura 5.2).

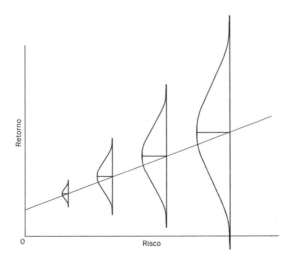

Figura 5.2

Os investimentos mais arriscados são aqueles para os quais o resultado é menos certo. Ou seja, a distribuição de probabilidade dos retornos é maior. Quando os preços são justos, os investimentos mais arriscados devem implicar o seguinte:

- maiores retornos esperados;
- possibilidade de retornos mais baixos; e,
- em alguns casos, a possibilidade de perdas.

O gráfico risco/retorno tradicional (figura 5.1) é enganoso porque nos mostra uma conexão positiva entre risco e retorno, mas não sugere a incerteza que a envolve. Isso causou miséria a muita gente, pois insinua que, de forma inabalável, correr mais risco significa ganhar mais dinheiro.

Espero que minha versão do gráfico seja mais útil. Ela deve sugerir (a) a relação positiva entre o risco e o retorno esperado; e (b) o fato de que a incerteza sobre o retorno e a possibilidade de perda aumentam à medida que o risco também.

"RISK" (RISCO), 19 DE JANEIRO DE 2006

∿

Nossa próxima grande tarefa é definir risco. O que é exatamente? É possível termos uma ideia por seus sinônimos: perigo, ameaça, apuro. Todos parecem candidatos razoáveis e bastante indesejáveis.

Ainda assim, a teoria financeira (a mesma teoria que contribuiu para a criação do gráfico de risco/retorno mostrado na figura 5.1 e o conceito de ajustamento ao risco) define, de modo preciso, o risco como volatilidade (ou variabilidade ou desvio). Nada disso transmite o sentido necessário de "perigo".

Segundo os acadêmicos que desenvolveram a teoria do mercado de capitais, risco e volatilidade são sinônimos, pois a volatilidade indica a instabilidade de um investimento. Vejo um grande problema com essa definição.

De forma consciente ou não, os acadêmicos aceitam que a volatilidade representa o risco por questão de conveniência. Eles precisavam de um número para seus cálculos que fosse objetivo e pudesse ser apurado por meio de dados históricos e extrapolado para o futuro. A volatilidade se encaixa nesse papel; a maioria dos outros tipos de risco, não. O problema com tudo isso, no entanto, é que não tenho a crença de que a volatilidade seja o risco mais importante para a maioria dos investidores. Há muitos tipos de risco; a volatilidade talvez seja o menos relevante de todos. A teoria diz que os investidores esperam maiores retornos dos investimentos mais voláteis. Ainda assim, para que o mercado defina os preços de forma que os investimentos mais voláteis pareçam estar mais propensos a produzir maiores retornos, é preciso que existam pessoas demandando essa relação; nunca as encontrei. Nunca ouvi ninguém dizer — nem na Oaktree nem em qualquer outro lugar — que não compraria um ativo porque seu preço poderia sofrer grandes flutuações ou que não compraria porque seu preço poderia baixar em algum trimestre. Assim, acho difícil acreditar que a volatilidade seja o risco levado em conta pelos investidores na hora de definir preços e retornos prospectivos.

Em vez da volatilidade, creio que as pessoas se recusam a fazer investimentos principalmente porque estão preocupadas com a perda de capital ou com retornos inaceitavelmente baixos. A frase "eu preciso de um potencial de lucro maior porque tenho medo de perder dinheiro" faz muito mais sentido do que "eu preciso de um potencial de lucro maior porque tenho medo de que o preço flutue". Não, tenho certeza de que "risco" é, antes de mais nada, a probabilidade de perder dinheiro.

"RISK" (RISCO), 19 DE JANEIRO DE 2006

A possibilidade de perder dinheiro de forma permanente é o risco de maior preocupação para mim, para a Oaktree e para todos os investidores práticos que conheço. Devemos, contudo, prestar atenção em muitos outros tipos de risco, pois eles podem (a) nos afetar ou (b) afetar os outros e, assim, gerar oportunidades de lucro.

Há muitas formas de risco de investimento. Muitos preocupam alguns investidores, mas não outros, e podem fazer um determinado investimento parecer seguro para alguns investidores, porém, arriscado para outros.

- *Ficar aquém do objetivo* — os investidores têm necessidades diferentes e, para cada um deles, o fato de não conseguir atendê-las representa um risco. Para um executivo aposentado que talvez precise de 4% ao ano para poder pagar suas contas, 6% representaria um lucro inesperado. Porém, para um fundo de pensão que precisa obter uma média de 8% ao ano, um longo período com retornos de 6% implicaria um sério risco. Obviamente esse risco é pessoal e subjetivo, e não absoluto e objetivo. Nesse sentido, um determinado investimento pode ser arriscado para algumas pessoas, mas não oferecer risco para outras. Então, este pode não ser o risco para o qual "o mercado" exija compensação sob a forma de maiores retornos prospectivos.
- *Desempenho insatisfatório* — Digamos que um gestor de investimentos saiba que seu cliente não investirá mais dinheiro em uma conta, independentemente

de seu bom desempenho; ocorre que, se a conta não for capaz de acompanhar algum índice, o gestor a perderá. Este é o "risco do *benchmark*"; o gestor pode eliminar esse risco ao espelhar o índice. Mas todo investidor que não esteja disposto a desistir dos lucros superiores ao índice e que, em sua busca, resolva desviar-se do índice passará por períodos em que o desempenho de seus investimentos será menor. De fato, uma vez que muitos dos melhores investidores se apegam mais fortemente à sua estratégia, e como nenhuma delas funciona o tempo todo, os melhores investidores podem passar pelos maiores períodos de desempenho insatisfatório de seus ativos. Especificamente, em períodos de loucura, os investidores disciplinados aceitam voluntariamente o risco de não correr suficiente risco para acompanhar o mercado (veja Warren Buffett e Julian Robertson em 1999. Naquele ano, o desempenho insatisfatório era um símbolo de coragem, pois significava a recusa em participar da bolha tecnológica).

- *Risco para a carreira do gestor* — esta é a forma extrema de risco de desempenho insatisfatório: é o risco que surge quando as pessoas que gerenciam o dinheiro não são donas dele. Nesses casos, os gestores (ou "agentes") podem não se importar muito com os ganhos (que não serão compartilhados com eles), porém, podem ter medo mortal de perdas que possam custar seus empregos. A implicação é clara: não vale a pena correr um risco capaz de comprometer os rendimentos a tal ponto que possa chegar a custar o emprego de um agente.
- *Não convencionalidade* — em linhas semelhantes ao item anterior, há o risco de ser diferente. Os administradores de dinheiro alheio talvez se sintam mais confortáveis com a obtenção de um desempenho médio dos ativos gerenciados por eles — independentemente do que isso implique em termos absolutos — do que com a possibilidade de que ações não convencionais não tenham êxito e resultem em suas demissões... A preocupação com esse risco impede que muitas pessoas tenham grandes resultados, mas também cria oportunidades em investimentos não ortodoxos para aqueles que ousam ser diferentes.
- *Iliquidez* — Quando um investidor precisa de dinheiro para pagar uma cirurgia daqui a três meses ou para comprar uma casa daqui a um ano, talvez não seja capaz de realizar investimentos que não tenham a liquidez desejada para atender ao seu cronograma. Então, para ele, risco não é apenas perder dinheiro, ou a volatilidade, ou qualquer um dos tópicos citados; é não conseguir, quando necessário, transformar — a preço razoável — um investimento em dinheiro.

"Risk" (Risco), 19 de janeiro de 2006

Agora, quero falar um pouco sobre os fatores que dão origem ao risco de perda.

A princípio, o risco de perda não decorre necessariamente de fundamentos ruins. Um ativo com fundamentos fracos — as ações de uma empresa em más condições, um título podre ou um edifício situado no pior lugar da cidade — pode se transformar em um investimento muito bom se for comprado a um preço suficientemente baixo.

Em segundo lugar, o risco pode estar presente mesmo em um macroambiente sem fraquezas. A combinação entre arrogância, falta de compreensão e aceitação do risco, e um pequeno evento negativo, pode ser suficiente para causar estragos. Qualquer um que não dedique tempo e esforços necessários para entender os processos subjacentes de seu portfólio está suscetível a isso.

Na maioria das vezes, se resume ao fator psicológico, isto é, a um otimismo excessivo e, portanto, mira preços muito elevados. Os investidores tendem a associar histórias emocionantes e encorajadoras a altos rendimentos potenciais. Também esperam altos retornos daquilo que, ultimamente, têm performado bem. Mesmo que esses investimentos em alta consigam cumprir as expectativas das pessoas por um tempo, certamente implicam alto risco. Após serem carregados nos ombros da emoção da multidão e elevados ao que eu chamo de "pedestal da popularidade", oferecem a possibilidade de retornos elevados contínuos, mas também de rendimentos baixos ou negativos.

A teoria diz que o retorno alto está associado ao risco alto porque o primeiro existe para compensar o segundo. Os investidores de valor, pragmáticos, entretanto, não enxergam isso: acreditam na possibilidade de obter um retorno alto e, simultaneamente, manter o risco baixo ao comprar ativos por menos do que valem. Da mesma forma, pagar demais implica um retorno baixo e um risco alto.

Aqueles ativos maçantes, ignorados e possivelmente malvistos e baratos — muitas vezes são pechinchas justamente por seu mau desempenho — costumam ser a preferência de investidores de valor para obter retornos altos. Os retornos que obtêm em mercados altistas[7] não costumam ser os mais altos, mas, na média, os ativos geralmente possuem um excelente desempenho, que costuma ser mais consistente do que o das ações "quentes" e, também, possuem baixa variabilidade, baixo risco fundamental e perdas menores quando os mercados não estão bem. Na maior parte do tempo, o maior risco dessas negociações pouco brilhosas reside na possibilidade de obterem desempenho

---

7. Relativo a "altismo", tendência constante para a alta de preços; não confundir com "autismo". (N.E.)

insatisfatório em mercados com tendência altista. Entretanto, o investidor de valor, ciente do risco, está disposto a conviver com isso.

~

Tenho certeza de que concordamos que os investidores devem exigir — e o fazem — maiores retornos prospectivos sobre os investimentos que consideram mais arriscados. E espero podermos concordar que o risco de perder dinheiro é o que mais preocupa as pessoas quando exigem retornos prospectivos e, portanto, definem preços para os investimentos. Ainda não respondemos a uma questão: *como esse risco é medido?*

Em primeiro lugar, está claro que não é nada além de uma questão de opinião: mesmo que, com sorte, seja uma estimativa esclarecida e competente sobre o futuro, ainda assim é apenas uma estimativa.

Em segundo lugar, não existe nenhum padrão para sua quantificação. Escolha um investimento qualquer e algumas pessoas dirão que seu risco é alto e outras dirão que é baixo. Algumas afirmarão que o risco é a probabilidade de não ganhar dinheiro; outros dirão que é a probabilidade de perder determinada parcela de seu dinheiro (e assim por diante). Alguns verão o risco como a possibilidade de perder dinheiro ao longo de um ano; outros, como a possibilidade de perder dinheiro durante todo o período que estiverem com o ativo em mãos. Claramente, mesmo que todos os investidores envolvidos se reunissem em uma sala e mostrassem suas cartas, nunca concordariam com um número único que representasse o risco de um investimento. E mesmo que concordassem, é provável que nunca o conseguissem comparar com outro número, definido por outro grupo de investidores, para outro investimento. Essa é uma das razões pelas quais eu falo que o risco e a decisão sobre o quociente risco/retorno não funcionam em um algoritmo, isto é, não são passíveis de serem entregues a um computador.

Há mais de sessenta anos, Ben Graham e David Dodd disseram, na segunda edição de *Security analysis* [Análise de investimentos], a bíblia dos investidores de valor: "a relação entre diferentes tipos de investimento e o risco de perda é muito indefinida e flutua demais com as mudanças do entorno; por isso, não permite uma formulação matemática sólida".

Em terceiro lugar, o risco é enganoso. É fácil levar em conta as ponderações convencionais, como a probabilidade de que eventos geralmente recorrentes se repitam. Porém, situações anômalas, aquelas que ocorrem apenas uma vez na vida, são muito difíceis de quantificar. O fato de um investimento estar sujeito a um risco particularmente grave que poderá ocorrer com frequência bastante baixa — chamo isso de *desastre improvável* — significa que o investimento pode parecer mais seguro do que realmente é.

A questão é que, analisando-o de forma prospectiva, grande parte do risco é subjetivo, oculto e imensurável.

Como ficamos então? Qual a melhor forma de tratar o risco de perda se ele é subjetivo e não pode ser medido, quantificado ou observado? Os investidores competentes são capazes de ter uma noção dos riscos presentes em determinada situação. Eles formam uma opinião com base principalmente em dois fatores: (a) a estabilidade e confiabilidade do valor e (b) a relação, ou quociente, entre preço e valor. Eles examinarão outros, mas a maior parte de sua opinião dependerá desses dois fatores.

Ultimamente tem havido muitos esforços para que a avaliação do risco se torne mais científica. As instituições financeiras costumam utilizar "gestores de risco" quantitativos, separando-os de suas equipes de gestão de ativos e, além disso, têm adotado modelos computadorizados, como o *value at risk* (valor em risco), para mensurar o risco de uma carteira. Entretanto, os resultados produzidos por essas pessoas e suas ferramentas não serão melhores do que os dados de entrada em que confiam e nos julgamentos que fazem sobre como processar essas informações; na forma como vejo, eles nunca serão tão bons quanto os resultados baseados nas opiniões subjetivas dos melhores investidores.

Dada a dificuldade de quantificar a probabilidade de sofrer perdas, os investidores que querem ter alguma medida objetiva do retorno ajustado ao risco — e são muitos — só possuem um indicador, chamado de índice de Sharpe. Ele mede a relação do retorno excedente de uma aplicação financeira (seu retorno acima da "taxa de juros sem risco" ou da taxa das letras do tesouro de curto prazo) e o desvio padrão do retorno. Esse cálculo parece útil para os ativos negociados no mercado, o qual realiza negociações e precificações frequentes; há alguma lógica nesse processo, e isso é realmente o melhor que temos. Embora não diga nada explicitamente sobre a probabilidade de perda, pode haver razões para acreditar que os preços dos ativos mais arriscados devido aos seus fundamentos flutuam mais do que os dos ativos mais seguros e que, portanto, o índice de Sharpe tem alguma relevância. Para ativos privados sem preços de mercado — como imóveis e empresas inteiras —, não há alternativa para o ajuste subjetivo de riscos.

～

Alguns anos atrás, enquanto pensava sobre a dificuldade de mensurar o risco, percebi que, graças à sua natureza potencial, não quantitativa e subjetiva, o risco de um investimento — definido como a probabilidade de perda — não pode ser medido em retrospectiva nem por suposições.

Digamos que um investimento funcione conforme o esperado. Será que isso quer dizer que não havia risco? Podemos, por exemplo, ter comprado algo por 100 dólares e vendido, um ano depois, por 200 dólares. Houve risco? Quem pode dizer? Talvez o investimento tenha nos exposto a grandes incertezas potenciais que não se concretizaram. Assim, o risco real pode ter sido alto. Ou, então, digamos que o investimento produz uma perda. Isso quer dizer que havia risco ou, talvez, que a aplicação deveria ter sido percebida como arriscada no momento em que foi analisada e registrada?

Se refletirmos sobre isso, veremos que a resposta a essas perguntas é simples: o fato de algo ter ocorrido — neste caso, a perda — não significa que deveria necessariamente acontecer, e o fato de algo não ter ocorrido não significa que era um evento improvável.

O livro de Nassim Nicholas Taleb — este, considerado uma das maiores autoridades sobre o assunto — *Fooled by randomness* (Iludido pelo acaso) conta "histórias alternativas" que, embora pudessem ter ocorrido, não aconteceram. No capítulo 16, falo mais sobre esse livro e sua importância; no momento, entretanto, estou interessado em entender como a ideia de histórias alternativas se relaciona com o risco.

No mundo dos investimentos pode-se viver bem por anos com uma grande conquista ou uma previsão radical que, ao final, se mostra correta. Mas o que se prova com um único êxito? Quando os mercados estão em movimento de alta, os melhores resultados acabam nas mãos daqueles que assumem os maiores riscos. Será que estamos falando de pessoas inteligentes que foram capazes de prever o bom momento ou de pessoas agressivas por natureza que se viram tomadas pela sorte? De forma mais simples: em nosso negócio, quantas vezes as pessoas estão certas pela razão errada? Nassim Nicholas Taleb chama essas pessoas de "tolas sortudas"; a curto prazo, é realmente difícil diferenciá-las dos investidores competentes.

A questão é que, mesmo depois de um investimento ter sido finalizado, é impossível quantificar o risco incorrido. Certamente o fato de a negociação ter funcionado não significa que isso não foi arriscado, e vice-versa. No que diz respeito a um investimento bem-sucedido, como saber se o resultado favorável era inevitável ou apenas uma entre centenas de possibilidades (muitas delas desagradáveis)? E o mesmo em relação a um resultado de perda: como saber se estávamos realizando um investimento razoável, mas sem sorte, ou se era apenas um palpite sem noção que merecia ser punido? Será que o investidor fez um bom trabalho ao tentar avaliar o risco do investimento?

Essa é outra boa pergunta difícil de responder. Precisa de um modelo? Pense no meteorologista. Ele diz que a probabilidade de que chova amanhã é de 70%. Chove; ele estava certo ou errado? Se não chove, ele estava certo ou errado? Em se tratando de probabilidades, se o número de observações não for muito alto, será impossível avaliar a certeza de estimativas que não sejam 0% ou 100%.

"Risk" (Risco), 19 de janeiro de 2006

E isso me leva à citação de Elroy Dimson que dá início a este capítulo: "Risco significa que podem acontecer mais coisas do que as que acontecerão". Agora vamos em direção aos aspectos metafísicos do risco.

Talvez você se lembre da frase de abertura deste capítulo: investir consiste exatamente em uma coisa: dar atenção ao futuro. No entanto, é obviamente impossível "saber" qualquer coisa sobre o futuro. Se conseguirmos ser clarividentes, poderemos ter uma ideia da gama de resultados futuros e da relativa probabilidade de estes ocorrerem — ou seja, poderemos construir uma distribuição de probabilidades aproximada. (Por outro lado, se não conseguirmos, nunca saberemos dessas coisas e tudo não passará de mera adivinhação.) Se tivermos alguma ideia sobre os acontecimentos futuros, poderemos predizer o resultado mais provável, os resultados que têm uma boa chance de ocorrer, a amplitude e o alcance deles; portanto, o "resultado esperado", que é calculado ao se ponderar cada resultado por sua probabilidade de ocorrência, é uma figura que diz muito — porém não tudo — sobre o futuro provável.

Mas, mesmo quando conhecemos o formato da curva de distribuição de probabilidades, o resultado mais provável e o resultado esperado — e mesmo que nossas expectativas estejam razoavelmente corretas —, conhecemos apenas as probabilidades ou as tendências. Passei horas jogando *gin rummy* e gamão com meu bom amigo Bruce Newberg. O tempo que passamos entre cartas e dados, em que as probabilidades são totalmente conhecidas, nos mostrou o importante papel desempenhado pela aleatoriedade e, portanto, os caprichos das probabilidades. Bruce descreveu o entendimento de forma admirável: "Há uma grande diferença entre probabilidade e resultado. As coisas prováveis deixam de ocorrer — e as improváveis ocorrem — o tempo todo.". Essa é uma das coisas mais importantes que se pode saber sobre risco em investimentos.

Enquanto ainda estamos falando de distribuições de probabilidades, quero abrir parênteses para fazer menção especial à distribuição normal. Os investidores, obviamente, são obrigados a opinar sobre eventos futuros. Para isso, estabelece-se um valor central em torno do qual acredita-se que os eventos provavelmente se agruparão (medidas de tendência central). Ele pode ser a média ou o valor esperado (o resultado que, geralmente, se espera que ocorra), a mediana (o resultado que, de um lado, agrupa metade das possibilidades e, do outro, a outra metade) ou a moda (o resultado mais provável). Mas, para lidar com o futuro, não é suficiente ter uma expectativa central; precisamos de uma noção dos outros resultados possíveis e de suas probabilidades. Precisamos de uma distribuição que descreva todas as possibilidades.

A maioria dos fenômenos que tende a um valor central — por exemplo, a altura das pessoas — compõe a conhecida curva em forma de sino, com a probabilidade de dada observação atingir seu ponto máximo no centro e cair em direção às extremidades do gráfico. Talvez haja mais homens de 1,78 metro do que de qualquer outra altura, e, então, pode haver menos homens com 1,76 metro ou 1,80 metro, muito menos com 1,60 metro ou 1,96 metro, e quase nenhum que meça 1,42 ou 2,14. Em vez de enumerar a probabilidade de cada observação individualmente, a distribuição padrão nos oferece uma maneira conveniente de resumir as probabilidades, de modo que alguns números estatísticos podem nos dizer tudo o que precisamos saber sobre a forma das coisas que estão por vir.

A distribuição em forma de sino mais comum é chamada de distribuição "normal". Embora as pessoas muitas vezes usem os termos *em forma de sino* e *normal* como sinônimos, essas distribuições não são iguais. A primeira é de um tipo geral, enquanto a segunda é uma distribuição específica em forma de sino com propriedades estatísticas muito bem definidas. A atual crise de crédito passa, sem dúvida, pela incapacidade de distinguir entre uma e outra distribuição.

Nos anos que antecederam a crise, engenheiros financeiros, ou *quants*, tiveram um papel importante para a criação e avaliação de produtos financeiros, como derivativos e produtos estruturados. Em muitos casos, supuseram que os eventos futuros teriam uma distribuição normal. Entretanto, ela pressupõe que os eventos nas pontas distantes da curva ocorrerão muito raramente; assim, a distribuição da evolução financeira — moldada pelos seres humanos, com sua tendência de comportamentos extremos movidos pela emoção — provavelmente deveria ter caudas "mais grossas". Assim, quando a inadimplência hipotecária começou a se tornar generalizada, eventos que, antes, eram considerados improváveis passaram a recair regularmente sobre veículos relacionados a hipotecas. Os investidores que usaram veículos de investimentos construídos com base em distribuições normais, sem muito subsídio para os "eventos das pontas do gráfico" (alguns usam o termo "cisnes negros", de Nassim Nicholas Taleb), perderam as rodas.

Agora que investir tornou-se algo tão dependente da matemática avançada, precisamos ficar atentos às ocasiões em que as pessoas, de forma errônea, aplicam suposições simplistas a um mundo complexo. A quantificação costuma oferecer um excesso de confiabilidade a afirmações que devem ser aceitas com um certo grau de desconfiança. Isso gera um grande potencial para criar problemas.

∿

Eis a chave para entendermos o risco: ele é, em grande parte, questão de opinião. E é difícil tê-la de forma definitiva quando se envolve o risco, mesmo depois de o evento ter ocorrido. Poderíamos observar um investidor que, em tempos difíceis, tenha perdido menos do que outro e concluir que aquele investidor assumiu menos riscos. Ou poderíamos notar que um investimento se desvalorizou mais do que outro em um determinado ambiente e, assim, dizer que era mais arriscado. Essas afirmações são necessariamente precisas?

Na maioria das vezes, creio ser justo dizer que o desempenho do investimento é o que acontece quando um conjunto de acontecimentos — geopolíticos, macroeconômicos, empresariais, técnicos e psicológicos — encontra um portfólio já existente. Muitos futuros são possíveis, parafraseando Dimson, mas apenas um ocorre. Poderá ser benéfico para sua carteira ou prejudicá-la, de acordo com previsões, prudência ou sorte. O desempenho de uma carteira sob um único cenário que se desenrola não diz nada sobre como a carteira poderia se comportar sob as muitas "histórias alternativas" que poderiam ter ocorrido.

- É possível criarmos uma carteira que seja capaz de resistir a 99% dos cenários e que, mesmo assim, seja um fracasso porque o que se concretiza é aquele que tem apenas 1% de chance de ocorrer. Com base no resultado, o negócio parece ter sido arriscado, mas talvez tenhamos tomado bastante cuidado.
- Podemos estruturar uma outra carteira para que funcione muito bem em metade dos cenários e muito mal na outra metade. Mas, se o ambiente desejado se concretizar, beneficiando a carteira, os espectadores talvez concluam que o portfólio apresentava baixo risco.
- O êxito de uma terceira carteira talvez dependa completamente de uma única ocorrência inusitada. No entanto, se esse evento ocorrer, pode ser que algo que não passa de um posicionamento agressivo e selvagem seja confundido com conservadorismo e previdência.

O retorno por si só — e especialmente o que ocorre em curtos períodos — nos diz muito pouco sobre a qualidade das decisões de investimento. O retorno deve ser avaliado em relação à quantidade de risco assumida para obtê-lo. E, mesmo assim, não há como se mensurar o risco. Certamente não pode ser medido com base no que "todos estão dizendo" em um dado momento. O risco só pode ser julgado por pensadores de segundo nível, sofisticados e experientes.

～

Eis o meu resumo sobre o tema do capítulo, isto é, "entender o risco":

Na maioria dos casos, é impossível antecipar o risco do investimento — exceto, talvez, para pessoas com uma visão incomum —, mesmo depois de ter sido finalizado. Por essa razão, muitos dos grandes desastres financeiros que temos visto ocorrem por falhas na previsão e gestão de riscos. Há várias razões para isso.

- O risco só existe no futuro, e é impossível saber com certeza o que o futuro nos reserva... Quando olhamos para o passado, nenhuma ambiguidade se mostra evidente. Só aconteceram as coisas que aconteceram. Mas essa certeza não significa que o processo que cria resultados seja claro e confiável. Muitas coisas poderiam ter acontecido no passado, e o fato de apenas uma ter ocorrido minimiza a importância da variabilidade que existia naquele momento.
- As decisões sobre suportar um risco ou não são tomadas pela observação de padrões normais que ocorrem na maior parte das vezes. Mas, de vez em quando, algo muito diferente acontece... Ocasionalmente, acontece o improvável.
- As projeções tendem a se agrupar em torno de padrões históricos e exigem apenas pequenas mudanças. Isto é, as pessoas geralmente esperam que o futuro seja igual ao passado e subestimam o potencial da mudança.
- Ouvimos muito se falar sobre projeções para o "pior caso", as quais, muitas vezes, acabam não sendo suficientemente negativas. Gosto de contar a história que meu pai me contava sobre o jogador que costumava perder. Um dia ele ouviu falar de uma corrida com apenas um cavalo e resolveu apostar o dinheiro guardado para pagar o aluguel. No meio da corrida, o cavalo pulou a cerca e fugiu. As coisas podem sempre ser piores do que esperamos. Talvez a expressão "pior caso" signifique "o pior com que já deparamos no passado". Isso não significa que as coisas não possam ser piores no futuro. Em 2007, as suposições de pior caso de muitas pessoas foram superadas.

- O risco aparece de forma irregular. Quando dizemos "2% das hipotecas não são pagas" a cada ano, mesmo que isso seja verdade em uma média de vários anos, uma onda incomum de inadimplência pode ocorrer em algum momento e levar à ruína um veículo financeiro estruturado. Será sempre o caso de alguns investidores — especialmente aqueles que operam com alto grau de alavancagem —, que não sobreviverão a esses períodos.

- As pessoas superestimam sua capacidade de mensurar os riscos e de entender mecanismos que nunca viram em funcionamento. Em teoria, uma coisa que distingue os humanos de outras espécies é que somos capazes de entender que uma situação é perigosa sem a necessidade de passar por ela. Não precisamos nos queimar para saber que não devemos nos sentar no fogo. Contudo, em períodos de alta dos mercados, as pessoas tendem a não utilizar esse conhecimento. Em vez de reconhecerem o risco à frente, tendem a superestimar sua capacidade de entender como as novas invenções financeiras funcionarão.

- Por fim, e de bastante importância, a maioria das pessoas vê o risco como uma maneira de ganhar dinheiro. Riscos maiores geralmente produzem maiores retornos. O mercado precisa configurar-se de modo a manter a aparência de que é exatamente isso que ocorre; se não fosse assim, um investidor não entraria em negócios arriscados. Mas as coisas não funcionam dessa forma, senão os investimentos arriscados não seriam arriscados. E, quando tomar risco não funciona, realmente não funciona: nesse momento, as pessoas se lembram exatamente do que é o risco.

"No different this time" (Não é diferente desta vez), 17 de dezembro de 2007

6

O mais importante é... reconhecer o risco

> Já que agora o sistema está mais estável, acredito que nós o deixaremos menos estável por meio de maiores alavancagens e assunções de risco.
>
> MYRON SCHOLES

> A sabedoria popular nos diz que o risco aumenta nas recessões e diminui durante os períodos de fartura. Ao contrário, seria mais útil imaginar que o risco *aumenta* durante os períodos de melhoria, enquanto os desequilíbrios financeiros se acumulam, e se *materializam* em recessões.
>
> ANDREW CROCKETT

> Não importa quão bons sejam os fundamentos de um ativo, pois, quando exercem sua ganância e propensão a errar, as pessoas são capazes de pôr tudo a perder.[8]

Um grande investimento precisa gerar retornos e controlar riscos; o reconhecimento do risco é pré-requisito absoluto para poder controlá-lo.

Espero que tenha me expressado claramente sobre o que compreendo como risco (e o que não). Ele é a incerteza sobre quais resultados irão ocorrer e quais as possibilidades de perda quando ocorrer algo desfavorável. O próximo passo importante é descrever o processo pelo qual o risco pode ser reconhecido pelo que é.

Isso começa a desenvolver-se, geralmente, pelo entendimento dos momentos em que os investidores dão pouca atenção ao risco: otimistas, pagam muito por um determinado ativo. Em outras palavras, o principal acompanhante do risco

---

8. No original, não há o nome do autor desta citação. (N.E.)

elevado é o preço elevado, seja de um ativo individual ou outro sobrevalorizado (portanto, caro), seja de um mercado inteiro estimulado por um sentimento altista (portanto, com preços altos); a principal fonte de riscos é participar das negociações — em vez de afastar-se delas — quando os preços estão altos.

～

Enquanto o teórico credita a retorno e risco dois conceitos distintos, ainda que correlacionados, o investidor de valor acredita que o risco elevado e o retorno prospectivo baixo são apenas os dois lados de uma mesma moeda, ambos decorrentes principalmente dos preços altos. Assim, ter ciência da relação entre preço e valor — em relação a um único ativo ou a todo o mercado — é componente essencial para lidar bem com o risco.

Quando os mercados sobem tanto que os preços acabam implicando perdas maiores do que os potenciais ganhos que deveriam gerar, o risco surge. E o seu gerenciamento se inicia ao reconhecermos que ele existe.

Ao longo da inclinação positiva da linha de mercado de capital, o crescimento do rendimento potencial representa uma compensação pelo incremento do risco assumido. Com exceção das pessoas que conseguem gerar "alfa" ou que possuem acesso a gerentes que possuem "alfa", os outros investidores não devem tentar obter retornos adicionais se não quiserem assumir riscos incrementais. E se resolverem tentar, devem exigir prêmios de risco.

No entanto, em algum ponto da oscilação do pêndulo,[9] as pessoas se esquecem e abraçam o risco de forma excessiva. Em suma, nos mercados altistas — geralmente quando as coisas estão indo bem há algum tempo —, as pessoas tendem a dizer: "O risco é meu amigo. Quanto mais risco eu correr, maior será meu retorno. Dê-me mais risco!".

A verdade é que a tolerância ao risco é contrária à obtenção de êxito nos investimentos. Quando não se tem medo do risco, ele é aceito mesmo sem nenhuma compensação por fazê-lo... E, assim, a compensação pela assunção do risco desaparece. Esta é uma relação simples e inevitável. Ao não se preocupar e, na verdade, tolerar os riscos, os investidores compram ações com quocientes preço/lucro altos e empresas privadas em múltiplos de EBITDA elevados (fluxo de caixa, definido como os lucros antes dos juros, dos impostos, da depreciação e da amortização) e, por fim, passam a acumular títulos (*bonds*), apesar de suas margens estreitas

---

9. A metáfora do pêndulo será explicada no capítulo 9. (N.T.)

de lucro e imóveis a "taxas de capitalização" mínimas (o quociente entre lucro operacional líquido e preço).

Poucas coisas são tão enganosas quanto a crença generalizada de que não há risco, pois somente quando os investidores são adequadamente avessos a ele os retornos prospectivos incorporam prêmios de risco apropriados. Espero que no futuro (a) os investidores se lembrem de temer os riscos e exigir prêmios de risco e (b) continuemos alertas para os momentos em que essa situação não ocorre.

"SO MUCH THAT'S FALSE AND NUTTY" (TANTO QUE
É FALSO E LOUCO), 8 DE JULHO DE 2009

Desse modo, um elemento primordial para a criação de riscos é a crença de que estes estão menores ou talvez tenham até desaparecido por completo. Acreditar nisso eleva os preços e impele investidores a realizar atitudes arriscadas, mesmo com baixo valor dos retornos prospectivos.

Entre 2005 e 2007, a visão geral de que o risco havia desaparecido fez os preços aumentarem ao patamar de uma bolha, o que levou investidores a participar de atividades que, mais tarde, se revelaram arriscadas. Dentre todos os processos, esse é um dos mais perigosos; sua tendência à repetição é notável.

Dos muitos contos de fadas contados ao longo dos últimos anos, um dos mais sedutores — e, portanto, mais perigosos — foi o da redução global do risco. Ele dizia o seguinte:

- O risco de ciclos econômicos vem diminuindo por causa da boa gestão do banco central dos Estados Unidos;
- Por causa da globalização, o risco tem se espalhado pelo mundo em vez de se concentrar geograficamente;
- A securitização e o empréstimo sindicado têm feito o risco ser distribuído entre muitos participantes do mercado, evitando que se concentre em apenas alguns;
- O risco foi dividido entre os investidores mais capazes de suportá-lo;
- A alavancagem tornou-se menos arriscada porque as taxas de juros e as condições da dívida são muito mais favoráveis aos mutuários;
- As compras alavancadas (*leveraged buyouts*, em inglês) são mais seguras porque as empresas que estão submetidas a compra são fundamentalmente mais fortes.
- A proteção (*hedge*) do risco pode ser realizada por meio da estratégia de retorno absoluto e da estratégia comprada/vendida ou por meio do uso de derivativos projetados para esse fim.

- Os avanços da informática, da matemática e da modelagem nos fizeram compreender melhor os mercados, tornando-os, portanto, menos arriscados.

A revista *Pension & Investments* (https://www.pionline.com) (20 de agosto de 2007) lançou uma boa metáfora: "Jill Fredston é uma especialista em avalanches reconhecida em todo o país... Ela conhece um tipo de risco moral, em que os melhores equipamentos de segurança podem persuadir alpinistas a assumir mais riscos, 'tornando-os, de fato, menos seguros'." Assim como ocorre nas oportunidades de ganhar dinheiro, o grau de risco presente em um mercado origina-se do comportamento dos participantes, e não dos ativos, das estratégias e das instituições. Independentemente de como as estruturas do mercado estejam construídas, o risco será baixo apenas se os investidores se comportarem com prudência.

O ponto principal é que histórias como essa, que tratam do controle do risco, raramente acabam sendo verdadeiras. O risco não pode ser eliminado; ele é apenas transferido e distribuído. E os acontecimentos que fazem o mundo parecer menos arriscado são, em geral, ilusórios e, portanto, ao apresentar um quadro otimista, tendem a tornar o mundo mais arriscado. Estas são as lições mais importantes de 2007.

"Now it's all bad" (Agora, tudo vai mal), 10 de setembro de 2007

O mito de que não existe mais risco é uma das fontes de risco mais perigosas, um dos principais fatores para a criação de bolhas. No ponto máximo do movimento pendular, a crença no baixo risco e na produção certa de lucros intoxica o rebanho e faz com que seus membros esqueçam a cautela, a preocupação e o medo da perda e, em vez disso, fiquem obcecados com o risco de perder oportunidades.

A última crise se fez presente, principalmente, porque as pessoas começaram a investir enormes montantes em coisas novas, complexas e perigosas. Assumiram muita alavancagem e comprometeram muito capital em investimentos ilíquidos. Por que fizeram isso? Os investidores acreditaram em demasia, se preocuparam muito pouco e, portanto, se arriscaram demais. Resumindo, convenceram-se de que viviam em um mundo de baixo risco...

A preocupação e os outros sentimentos aparentados, a saber, a desconfiança, o ceticismo e a aversão ao risco, são ingredientes essenciais em um sistema financeiro seguro. A preocupação impede que se façam empréstimos arriscados, que as empresas ultrapassem seu nível sustentável de endividamento, que as carteiras se tornem excessivamente concentradas e que as estratégias não comprovadas se transformem em manias populares.

Quando preocupação e aversão ao risco estiverem presentes, como deveria ser sempre, os investidores questionarão, investigarão e agirão com prudência; investimentos arriscados não serão realizados ou terão a obrigação de fornecer compensação adequada em termos de retorno esperado.

Ocorre que os mercados somente oferecerão prêmios de risco adequados quando os investidores forem suficientemente avessos ao risco. Quando poucos se preocupam, os tomadores de empréstimos arriscados e as estratégias questionáveis têm fácil acesso ao capital; consequentemente, isso precariza o sistema financeiro. Muito dinheiro será depositado no arriscado e no novo, elevando os preços dos ativos e causando a redução dos retornos prospectivos e da segurança.

Claramente, nos meses e anos que antecederam a crise, poucos participantes se preocuparam tanto quanto deveriam.

"Touchstones" (Critérios), 10 de novembro de 2009

~

O risco dos investimentos tem origem principalmente nos preços muito altos; e os preços muito altos costumam originar-se do excesso de otimismo, do ceticismo inadequado e da aversão ao risco. Outros fatores subjacentes podem incluir os baixos retornos prospectivos em investimentos mais seguros, algum bom desempenho recente nos mais arriscados, fortes entradas de capital e fácil disponibilidade de crédito. A questão, aqui, é entender o impacto que tudo isso tem.

O processo mental relativo aos investimentos é uma corrente em que cada elo, isto é, cada investimento, define as exigências do próximo. Em 2004, descrevi o processo da seguinte maneira:

> Usarei um mercado "típico" de alguns anos atrás para ilustrar como isso funciona na vida real. Digamos que a taxa de juros das letras do tesouro americano de trinta dias é de 4%. Então, os investidores dizem que, se investirem por cinco anos, desejam obter 5%. E, para comprar a nota de dez anos, querem 6%. Quanto maior for o prazo de vencimento, mais juros serão exigidos pelos investidores, porque sua preocupação é com o risco ao seu poder de compra, que supõem que aumente com o aumento do prazo de vencimento. É por isso que a curva de rendimento, que na realidade é uma parcela da linha de mercado de capital, geralmente inclina-se positivamente com o aumento da vida dos ativos.

Agora vamos juntar o risco de crédito a isso. "Se a letra do tesouro de dez anos paga 6%, não comprarei títulos de dívida corporativa de uma empresa com *rating* 'A', a menos que me pague 7%." Isso introduz o conceito de *spreads* de crédito. Nosso investidor hipotético quer 100 pontos-base para deixar de investir em títulos do governo e passar a investir em títulos empresariais. Se for consenso entre os investidores, então esse será o *spread*[10] do rendimento.

E se nos afastarmos dos títulos com *investment-grade*?[11] "Não investirei em um título de alto rendimento (*high yield*) a menos que obtenha 600 pontos básicos sobre uma nota do tesouro americano de maturidade semelhante." Assim, os títulos de alto rendimento são obrigados a render 12% — isto é, um *spread* de 6% em relação à nota do tesouro — para que consigam atrair compradores.

Agora, deixemos a renda fixa de lado. As coisas ficam mais difíceis, porque em certos investimentos, como nas ações, não existem retornos prospectivos (isso porque, simplesmente, seus retornos não são fixos, são conjecturais). Mas os investidores possuem uma boa percepção em relação a essas coisas. "Historicamente as ações da Standard & Poors tiveram rendimento de 10%, e as comprarei somente se eu achar que elas continuarão da mesma forma... E, as ações mais arriscadas precisarão me oferecer um maior retorno; não vou comprar na Nasdaq a menos que eu acredite que possa chegar a 13%."

A partir daí, as condições deverão apenas melhorar. "Se consigo 10% com ações, então precisarei de 15% para aceitar a iliquidez e a incerteza associadas ao setor imobiliário. E 25% caso eu queira investir em aquisições do tipo *buyout*,[12] e 30% para me induzir a investir em *venture capital*,[13] com sua baixa taxa de êxito."

É assim que deveria funcionar, e na verdade eu acho que geralmente funciona (embora os requisitos não sejam os mesmos em todos os momentos). O resultado é uma linha de mercado de capital bastante familiar para muitos de nós, conforme a mostrada na figura 6.1.

Um dos grandes problemas do retorno dos investimentos atualmente surge do ponto de partida desse processo: A taxa de risco não é de 4%; está mais próxima de 1%...

---

10. *Spread* do rendimento é a diferença entre o título governamental e a ação empresarial. (N.T.)

11. São títulos de alta qualidade, conforme a avaliação de uma agência de notas de crédito (por exemplo, Standard & Poor's, Moody's e Fitch); já um título especulativo, com classificação de crédito inferior ao *investment-grade*, é chamado de título de alto rendimento (em inglês, *high yield*). (N.T.)

12. É um tipo de aquisição que ocorre quando os investidores compram a maioria do capital social de uma empresa e assumem seu controle. (N.T.)

13. É um tipo de investimento que financia empresas em fase inicial. Este negócio possui alto risco de perda, mas também apresenta os altos potenciais de retorno em caso de sucesso. (N.R.T.)

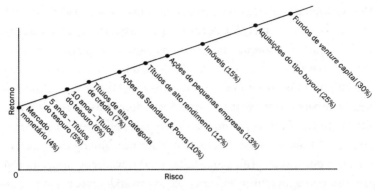

Figura 6.1

Os investidores típicos requererão retornos mais atrativos para que possam aceitar o risco dos prazos maiores, mas com o ponto de partida em +1%, 4% é, agora, a taxa correta para dez anos (e não 6%). Eles não investirão em ações a menos que possam obter 6% ou 7%. E as obrigações especulativas talvez não valham a pena se seus rendimentos forem inferiores a 7%. O mercado imobiliário terá de render 8% ou mais. Para que as aquisições do tipo *buyout* sejam atraentes, devem prometer 15%, e assim por diante. Agora temos uma linha de mercado de capital como a mostrada na figura 6.2, que está (a) em um nível muito menor e é (b) muito mais achatada.

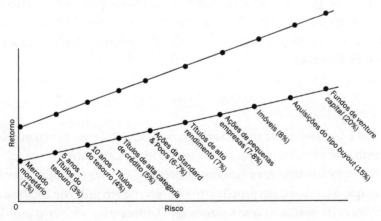

Figura 6.2

Explica-se a parte mais baixa da linha pelas baixas taxas de juros, cujo ponto de partida é a baixa taxa de juros sem risco. Afinal, cada um dos investimentos precisa competir com os outros por capital, mas naquele ano, devido às baixas taxas de juros, os retornos mínimos para cada um dos investimentos sucessivamente mais arriscados foi a mais baixa que vi em toda a minha carreira.

Além de a linha de mercado de capital estar, hoje, em um nível baixo em termos de retorno, há também uma série de fatores que conspiraram para o seu achatamento. (Isso é importante, porque a inclinação da linha, ou o quanto o retorno esperado aumenta por unidade de aumento do risco, quantifica o prêmio de risco.) Em primeiro lugar, os investidores esforçaram-se avidamente para fugir de investimentos de baixo risco e baixo retorno. Segundo, os investimentos arriscados têm sido muito gratificantes por mais de vinte anos e se saíram particularmente bem em 2003. Assim, os investidores são atraídos mais (ou repelidos menos) do que deveriam por investimentos arriscados e exigem menos compensação de risco para começar a investir neles. Terceiro, os investidores têm a percepção de que, atualmente, o risco é limitado...

Em resumo, para usar as palavras dos *quants*, a aversão ao risco está menor. De alguma forma, nessa alquimia única à psicologia dos investidores, "não quero isso nem de graça" tinha se transformado em "para mim, parece um investimento sólido".

"RISK AND RETURN TODAY" (RISCO E RETORNO NA ATUALIDADE), 27 DE OUTUBRO DE 2004

Esse processo de "enriquecimento" acaba nos levando a quocientes preço/lucro elevados, *spreads* de crédito estreitos, comportamento indisciplinado dos investidores, uso indiscriminado da alavancagem e forte demanda por todos os tipos de veículos de investimento. Tudo isso, além de causar o aumento dos preços e a redução do retorno prospectivo, também cria um ambiente de alto risco.

~

O risco é incrivelmente importante para os investidores, também efêmero e imensurável, entretanto, essas características tornam difícil o seu reconhecimento, especialmente em situações influenciadas pelas emoções. Mas é imperativo que o façamos. No próximo trecho, escrito em julho de 2007, eu mostro o processo de avaliação que usamos na Oaktree para avaliar o ambiente de investimento e o "humor ao risco" na época. Em outros momentos, as especificidades podem ser diferentes, espero, contudo, que este exemplo de nosso processo de tomada de decisão seja útil.

Como estamos hoje [meados de 2007]? Acredito não haver muito mistério. Vejo baixos níveis de ceticismo, medo e aversão ao risco. A maioria das pessoas costuma estar disposta a realizar investimentos arriscados porque os retornos prometidos pelos investimentos tradicionais e seguros parecem muito baixos. Isso é verdade, embora a falta de interesse por investimentos seguros e a aceitação de investimentos mais arriscados tenham deixado a inclinação da curva risco/retorno bastante achatada. Os prêmios de risco são geralmente os mais baixos que já vi, mas poucas pessoas deixam de aceitar os riscos incrementais...

Recentemente, os mercados mostraram uma tendência à subida quando há acontecimentos positivos e a se recuperar facilmente dos eventos negativos. Vejo pouquíssima gente querendo ansiosamente se desfazer de seus ativos e poucos vendedores forçados a fazer isso; na verdade, há uma forte demanda pela maioria dos ativos. Como resultado, não conheço nenhum grande mercado que possa ser descrito como subprecificado ou esvaziado...

É o que é. Temos vivido em um período otimista. O ciclo tem sido bastante altista. Os preços estão altos e os prêmios de risco são baixos. A confiança substituiu o ceticismo e o entusiasmo substituiu a moderação. Você concorda ou discorda? Eis a questão. Responda-a primeiro, e as implicações dessa resposta para os investimentos se tornarão claras.

No primeiro trimestre do ano, houve um grande aumento das inadimplências relativas aos empréstimos hipotecários de alto risco (*subprime mortgages*, em inglês). As partes envolvidas diretamente perderam muito dinheiro e os espectadores se preocuparam com o contágio de outras partes da economia e outros mercados. No segundo trimestre, o impacto atingiu as CDOs (*Collateralized Debt Obligation*), ou obrigações de dívida colateralizadas (produtos financeiros estruturados e em "camadas" ou *tranches*) que haviam investido em carteiras de empréstimos hipotecários *subprime* e *hedge funds*[14] que haviam comprado dívida de CDOs, incluindo dois fundos da Bear Stearns.[15] Aqueles que precisaram liquidar seus ativos foram forçados — como de costume em cenários de dificuldades — a vender o que podiam, não o que queriam e muito menos apenas os indesejados ativos ligados à crise do *subprime*. Começamos a ver notícias sobre o rebaixamento das notas de risco, exigências por maiores garantias (*margin calls*) e vendas apressadas a preços baixos (*fire sales*), isto é, o combustível geralmente utilizado para o colapso do mercado de capitais. E nas últimas semanas começamos a ver que os investidores estão ficando mais reticentes, e as novas emissões de dívidas de baixa

---

14. *Hedge funds* são fundos do tipo multimercado em que a gestão tem autonomia para investir em diferentes mercados. (N.R.T.)

15. Banco de investimentos sediado em Nova York; quebrou em 2008 em razão da crise dos *subprimes* e foi comprado pelo J. P. Morgan por 10% de seu valor de mercado. (N.T.)

classificação de crédito precisaram ser renegociadas, postergadas ou retiradas, deixando os empréstimos-ponte sem financiamento.

Os últimos quatro anos e meio foram de despreocupação para os investidores. Isso não significa que continuará assim. Darei a última palavra a Warren Buffett, como costumo fazer: "Descobrimos quem está nadando nu somente quando a maré baixa". Lembrem-se, Polianas: a maré não se mantém alta para sempre.

"It's all good" (Está tudo bem), 16 de julho de 2007

Quero salientar enfaticamente que os comentários do memorando de julho de 2007 e os meus outros avisos não têm nada a ver com previsão do futuro. Tudo o que precisávamos saber nos anos que antecederam a crise poderia ter sido percebido ao se acompanhar de forma consciente os acontecimentos do presente.

∿

A realidade do risco é muito mais complexa e menos direta do que a percepção que podemos ter dela. As pessoas superestimam muito sua capacidade de reconhecer o risco e subestimam o que é preciso fazer para evitá-lo; assim, aceitam o risco sem saber e, ao fazê-lo, contribuem para sua criação. Por esse motivo, é essencial aplicarmos o pensamento incomum de segundo nível ao tema.

O risco surge à medida que o comportamento do investidor altera o mercado. Quanto mais desejam os ativos, acelerando uma valorização que somente ocorreria no futuro, mais reduzem os retornos prospectivos. Conforme fatores psicológicos os fortalecem e eles se tornam mais ousados e menos preocupados, deixam de requerer prêmios de risco adequados. A ironia final está no fato de que a recompensa por assumir riscos incrementais diminui quando mais pessoas entram no jogo.

Assim, o mercado não é uma arena estática em que os investidores realizam suas operações. Ele é responsivo, formado pelo próprio comportamento dos investidores. O aumento de confiança dos investidores cria mais motivos de preocupação, assim como o aumento do medo e aversão ao risco combinam-se para ampliar os prêmios de risco ao mesmo tempo que reduzem o risco. Eu chamo isso de "perversidade do risco".

"Não vou comprar a qualquer preço — todos sabem que é muito arriscado." Essa é uma frase que ouvi muito em minha vida e que deu origem às melhores oportunidades de investimento de minha carreira...

A verdade é que o rebanho está errado sobre o risco, pelo menos com a mesma frequência que está errado sobre o retorno. O consenso de que algo está muito quente para poder ser manuseado está quase sempre errado. Em geral, a verdade está no contrário disso.

Estou firmemente convencido de que o risco dos investimentos costuma estar onde é menos percebido, e vice-versa:

- Quando todos acreditam que algo apresenta risco, a relutância em comprá-lo geralmente reduz seu preço a ponto de não mais tornar sua negociação arriscada. A opinião amplamente negativa pode anular o risco, uma vez que o otimismo deixou de fazer parte de seu preço.
- E, obviamente, conforme demonstrado pela experiência, quando todos acreditam que um investimento não é arriscado, os investidores das *Nifty Fifty* geralmente elevam o desejo por ele a um ponto tão extremo que passa a ser extremamente arriscado. Já que não se teme nenhum risco, não se exige nem se dá nenhuma compensação pelos riscos — nenhum "prêmio de risco". Isso pode transformar o ativo mais estimado no mais arriscado.

Esse paradoxo existe porque a maioria dos investidores acha que a qualidade, ao contrário do preço, é o que determina o risco. Ocorre que ativos de alta qualidade podem ser arriscados e ativos de baixa qualidade podem ser seguros. Tudo é uma questão do quanto se paga por eles... A opinião popular, então, não é apenas uma fonte de baixo potencial de retorno, mas, também, de alto risco.

"EVERYONE KNOWS" (TODO MUNDO SABE), 26 DE ABRIL DE 2007

7

O mais importante é... controlar o risco

Ao juntar tudo, vemos que, em busca de lucro, o trabalho do investidor é assumir riscos de forma inteligente. Fazer isso bem é o que separa o bom investidor do resto.

Como avalio, os investidores que mais se destacam distinguem-se, no mínimo, tanto por sua capacidade de controlar o risco quanto pela habilidade de gerar resultados positivos.

O retorno absoluto alto é muito mais reconhecível e estimulante do que o desempenho excelente, ajustado ao risco. É por isso que somente os grandes retornos levam as fotos de seus investidores aos jornais; já que o risco e o desempenho ajustado ao risco (mesmo após a ocorrência do fato) são de difícil mensuração e já que a importância de gerenciar o risco é extremamente subestimada, os investidores raramente são reconhecidos por ter realizado um bom trabalho nesse sentido. Isso é especialmente verdadeiro nos períodos de alta.

A meu ver, contudo, grandes investidores são aqueles que assumem riscos menores proporcionalmente aos rendimentos que obtêm. Eles podem produzir retornos moderados com baixo risco ou retornos elevados com risco moderado. Entretanto, a obtenção de rendimentos elevados mediante riscos também elevados significa muito pouco — a menos que consigamos fazer isso por muitos anos; nesse caso, ou o "alto risco" percebido não era realmente alto ou foi excepcionalmente bem administrado.

Pensemos nos investidores que são reconhecidos porque realizam um bom trabalho, pessoas como Warren Buffett, Peter Lynch, Bill Miller e Julian Robertson. Possuem trajetórias notáveis por se manterem consistentes sem grandes contratempos, não apenas por seus retornos elevados. É verdade que podem ter passado por um ou dois anos ruins, mas em geral administraram bem tanto os riscos quanto os retornos.

Quaisquer que sejam os poucos prêmios concedidos ao controle de riscos, eles nunca são dados nos períodos bons. A razão é que o risco é furtivo, invisível. O risco — a possibilidade de perda — não é observável. O que se pode observar é a perda; e ela geralmente só acontece quando o risco e os eventos negativos se encontram.

Esse é um ponto muito importante, então descreverei duas analogias para que o tema seja apresentado claramente. 1) Germes causam doenças, mas, em si, não são doenças. Podemos dizer que a doença é o que acontece quando os germes se estabelecem em algum organismo. 2) Na Califórnia, as casas podem ter (ou não) falhas de construção que podem fazê-las desmoronar durante terremotos. Isso é algo que só é possível descobrir quando ocorre um terremoto.

Da mesma forma, perda é o que ocorre quando risco e adversidade se encontram. O primeiro representa a possibilidade de sofrer perdas quando as coisas dão errado. Enquanto tudo vai bem, as perdas não aparecem. O risco só gera perdas quando ocorrem eventos negativos no ambiente.

Devemos lembrar que, quando o ambiente é salutar, esse é apenas um dos ambientes com probabilidade de materialização naquele dia (ou naquele ano). (Essa é a ideia de histórias alternativas de Nassim Nicholas Taleb, descrita com mais detalhes no capítulo 16). O fato de o ambiente não ser negativo não significa que não poderia ter sido. E o fato de o ambiente não ser negativo não significa que o controle de risco não fosse aconselhável, embora, da forma como as coisas aconteceram, ele não fosse necessário naquele momento.

O importante aqui é a percepção de que talvez o risco estivesse presente, mesmo que a perda não tenha ocorrido. Portanto, a ausência de perdas não significa necessariamente que a carteira tenha sido construída de forma segura. Então, o controle de risco pode estar presente nos bons momentos, mas não é algo observável porque não é testado. E, por isso, não há prêmios. Apenas um observador competente e sofisticado é capaz de observar uma carteira nos períodos bons e adivinhar se ela é de baixo ou de alto risco.

Para que uma carteira consiga atravessar os períodos difíceis, o risco precisa, em geral, estar muito bem controlado. Contudo, se a carteira prospera nos períodos bons, não podemos dizer se o controle de risco (a) estava presente e não era necessário ou (b) não existia.

Resumindo: apesar de o controle de risco ser invisível durante os períodos bons, ainda assim, é essencial, já que períodos bons podem facilmente se transformar em momentos ruins.

Qual é a definição de um trabalho benfeito?

A maioria dos observadores acredita que a vantagem dos mercados ineficientes reside no fato de que um gestor pode assumir o mesmo risco que o *benchmark*, por exemplo, e obter uma taxa de retorno maior. A figura 7.1 apresenta essa ideia e retrata o "alfa" do gestor, isto é, o valor agregado por sua competência.

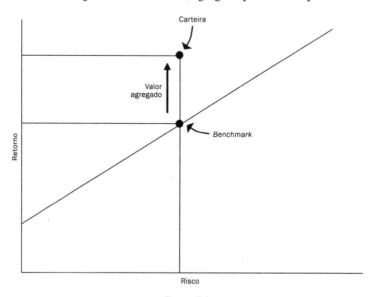

Figura 7.1

Este gestor realizou um bom trabalho, mas isso me parece apenas uma parte da história — e, acredito, a parte desinteressante. Um mercado ineficiente também permite que o investidor competente obtenha o mesmo retorno do *benchmark* e, ao mesmo tempo, assuma riscos menores. Para mim, isso é uma grande conquista (figura 7.2). Aqui o valor agregado pelo gestor não é obtido por meio de um maior retorno em relação a um risco determinado, mas, sim, por meio de menor risco em relação ao retorno determinado. Isso também é um bom trabalho — talvez até melhor que o do primeiro.

Parte disso é apenas uma questão de semântica e depende de como olhamos para os gráficos. Não obstante, como acredito que a redução do risco fundamental pode ser a base para uma experiência de investimento extremamente próspera, esse conceito deveria receber mais atenção do que em geral recebe. Como poderíamos participar do lucro total gerado pelos mercados altistas e, ao mesmo tempo, nos posicionar para obter resultados excelentes em mercados com tendência de baixa?

Capturando um lucro superior ao do mercado e assumindo riscos menores que o do mercado...

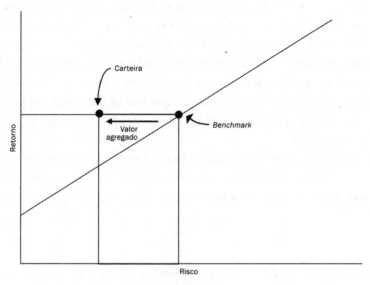

Figura 7.2

"Returns, absolute returns and risk" (Retornos, retornos absolutos e risco), 13 de junho de 2006

Agora podemos voltar aos germes que não se estabeleceram no organismo ou talvez aos terremotos que não aconteceram. Um bom construtor é capaz de evitar falhas em sua construção, enquanto um construtor ruim incorpora falhas a sua construção. Pode ser difícil diferenciar um do outro enquanto não há um terremoto.

Da mesma forma, um excelente investidor pode ser aquele que, em vez de obter retornos maiores, consegue o mesmo retorno, porém com risco menor (ou, até mesmo, um retorno ligeiramente menor com muito menos risco). Quando os mercados se mantêm estáveis ou estão em crescimento, não é possível descobrir o risco em que uma carteira incorre. É isso que está por trás do que disse Warren Buffett sobre a maré: não há como saber quem está nadando nu ou vestido, senão quando a maré baixa.

Obter o mesmo retorno dos investidores que correm maiores riscos e fazê-lo com riscos menores é uma realização admirável. Na maioria das vezes, entretanto, trata-se de uma realização sutil e oculta que só pode ser apreciada por meio de julgamentos sofisticados.

Já que, em geral, há mais anos bons nos mercados do que anos ruins, e como são necessários anos ruins para que o valor do controle de risco se mostre evidente em termos de redução de perdas, o custo do controle de risco — na forma de rendimentos não aproveitados — pode parecer excessivo. Nos anos bons do mercado, os investidores que se preocupam com o risco devem dar-se por satisfeitos, pois se beneficiaram de um sistema de controle em suas carteiras, mesmo que este não tenha sido necessário. Eles são como donos prudentes de imóveis que fazem seguro de sua propriedade e se sentem bem por saber que estão protegidos... mesmo quando não é preciso acioná-lo.

Controlar o risco do portfólio é muito importante e vale a pena. Os frutos, no entanto, surgem apenas na forma de perdas que deixam de acontecer. Cálculos do tipo "e se..." são muito complicados em períodos de tranquilidade.

∿

Assumir risco de forma inconsciente pode ser um grande erro; isso, no entanto, é o que fazem repetidamente as pessoas que compram ativos mais populares e desejados em um determinado momento — esses investidores creem que "nada de ruim pode acontecer". Por outro lado, aceitar de forma inteligente o risco reconhecido com o objetivo de se obter lucro está por trás de alguns dos investimentos mais sábios e rentáveis — mesmo que (ou talvez devido ao fato de que) a maioria dos investidores os descarte por considerá-los especulações perigosas. Ao juntar tudo, vemos que o trabalho do investidor é assumir riscos de forma inteligente para obter lucros. Fazer isso bem é o que separa o bom investidor dos outros.

O que significa assumir riscos de forma inteligente para obter lucros? Vejamos o exemplo do seguro de vida: como as companhias de seguros, que estão entre as empresas mais conservadoras da América, asseguram a vida das pessoas quando sabem que todas elas vão morrer?

- É um risco que conhecem. Sabem que todos vão morrer, então, incluem essa realidade em sua abordagem.
- É um risco que elas são capazes de analisar, e por isso todas contam com médicos que avaliam a saúde dos futuros assegurados.
- É um risco que pode ser diversificado. Ao garantir uma mistura de assegurados por idade, sexo, ocupação e localização, não estarão expostas a situações anômalas e perdas generalizadas.

- É um risco assumido pelo qual, certamente, serão bem recompensadas. Essas empresas estabelecem prêmios para que tenham lucro em caso de falecimento do assegurado, de acordo com as médias de suas tabelas atuariais. E, se o mercado de seguros for ineficiente — por exemplo, se a empresa for capaz de vender uma apólice a uma pessoa com probabilidade de morrer aos 80 anos cobrando um prêmio que pressupõe que ela morrerá aos 70 —, as companhias estarão mais protegidas contra os riscos e mais bem posicionadas para a obtenção de lucros excepcionais, se tudo ocorrer conforme o esperado.

Fazemos exatamente o mesmo em relação aos títulos de alto rendimento e em relação a todas as outras estratégias da Oaktree. Tentamos estar cientes dos riscos; algo essencial, pois nosso trabalho envolve muitos ativos que alguns, de maneira simplista, chamam de "arriscados". Empregamos profissionais altamente qualificados, capazes de analisar investimentos e avaliar riscos. Diversificamos nossos portfólios de forma adequada. E somente investimos quando estamos convencidos de que o provável retorno mais do que compensará o risco assumido.

Há anos digo que os ativos de risco podem ser bons investimentos sempre que estiverem suficientemente baratos. O elemento essencial é saber quando isso acontece. É isso: assumir de forma inteligente o risco para a obtenção de lucros é o melhor modo de se obter êxitos que se repetem durante um longo período.

"RISK" (RISCO), 19 DE JANEIRO DE 2006

~

Se, por um lado, o controle de risco é essencial, a *assunção* de riscos, em si, não é nem sábia nem imprudente, mas inevitável para a maior parte das estratégias e dos nichos de investimentos. Pode ser bem feita ou malfeita, no momento certo ou no momento errado. Estamos no melhor dos mundos quando somos capazes de mudar para nichos mais agressivos e manter o risco sob controle. Há armadilhas pelo caminho, mas podemos evitá-las.

Aqueles que controlam o risco de forma cautelosa sabem que não conhecem o futuro e compreendem que esse futuro acarreta possíveis resultados negativos; não podem mensurar exatamente, no entanto, o quão ruins esses resultados podem ser ou quais são as probabilidades de ocorrer. Então, não saber o "quão ruim é ruim" apresenta-se como uma dessas principais armadilhas; cair nela desencadeia subsequentes más decisões.

A volatilidade e as perdas extremas são raras. E à medida que o tempo passa sem que aconteçam, começa a parecer cada vez mais provável que nunca venham a ocorrer, levando-nos a crer que as suposições sobre o risco eram muito conservadoras. Daí surge a tentação de relaxar as regras e aumentar a alavancagem. E, muitas vezes, isso é feito pouco antes do surgimento do risco. Conforme nos informa Nassim Nicholas Taleb em seu livro *Iludido pelo acaso*:

> A realidade é muito mais cruel do que uma roleta-russa. Primeiro, ela raramente libera a bala fatal, como um revólver cujo tambor não tivesse apenas seis câmaras, mas centenas, e até mesmo milhares. Após algumas dezenas de tentativas, os participantes, sob uma falsa sensação de segurança entorpecente, se esquecem da existência de uma bala. Em segundo lugar, ao contrário de um jogo preciso e bem definido como a roleta-russa, em que os riscos podem ser enxergados por qualquer um capaz de multiplicar e dividir por seis, o tambor da realidade não é algo que se possa observar. Portanto, sem perceber, podemos estar jogando roleta-russa e chamando-a por algum nome alternativo que denote "baixo risco".

Imaginando que estivessem num jogo de baixo risco, as instituições financeiras, entre 2004 e 2007, tomavam parte de um negócio de alto risco, tudo porque suas hipóteses sobre perdas e volatilidade eram muito vagas. Estaríamos assistindo a um filme completamente diferente se fosse dito por essas instituições: "Isso tudo talvez seja muito arriscado. Uma vez que os preços das casas subiram tanto e o acesso ao crédito hipotecário se tornou tão fácil e disponível, então é possível que, desta vez, os preços dos imóveis sofram quedas generalizadas. Por isso, nossa alavancagem não passará da metade do que nos sugere o nosso desempenho no passado.".
É fácil dizer que suas assunções de risco deveriam ter sido mais conservadoras. Mas quão conservadoras? Não há como administrar com base nas piores hipóteses. Ficaríamos paralisados. E, de qualquer forma, uma "pior hipótese" é um termo realmente equivocado; isso não existe, pois a pior hipótese é a perda de tudo. Sabemos que os *quants* não deveriam ter aceitado a suposição de que os preços dos imóveis não poderiam sofrer um declínio em todo o país. Contudo, assim que aceitamos que esse declínio é possível, para qual extensão de queda deveremos nos preparar (2%, 10%, 50%...)?
As manchetes [de 2008] estão repletas de companhias que perderam muito, e talvez até quebraram, porque compraram ativos por meio de alavancagem... Esses investidores utilizaram alavancagens que poderiam ter sido mais apropriadas

para a negociação de ativos de volatilidade moderada e esbarraram na maior volatilidade já vista até então. É fácil dizer que cometeram um erro.
Mas seria razoável esperar que se preparassem para eventos insólitos?
Se todas as carteiras precisassem suportar quedas como as que testemunhamos neste ano [2008], é possível que ninguém mais, nunca, viesse a utilizar a alavancagem novamente. Será que essa é uma reação sensata? (De fato, é possível que ninguém jamais invista nessas classes de ativos, mesmo sem alavancagem).
Em todos os aspectos de nossas vidas, embasamos nossas decisões no que achamos que tem maior probabilidade de ocorrer. E, para tanto, essa maior probabilidade, na maioria das vezes, tem como base os eventos regulares do passado. Esperamos que os resultados estejam próximos da média (A) na maioria das vezes, mas sabemos que podemos obter resultados melhores (B) ou piores (C). Mesmo que tenhamos em mente que, de vez em quando, um resultado estará fora do alcance habitual (D), tendemos a nos esquecer das possíveis extremidades. E, conforme exemplificado pelos acontecimentos recentes, raramente consideramos os resultados que ocorrem apenas uma vez por século, ou que nunca tenham acontecido (E) (figura 7.3).

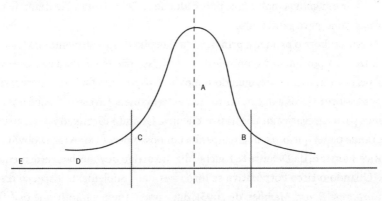

Figura 7.3

Mesmo sabendo que coisas incomuns e improváveis podem acontecer, tomamos decisões fundamentadas para que possamos agir e, conscientemente, aceitamos esse risco quando somos bem pagos para aceitá-lo. De vez em quando surge um "cisne negro". Entretanto, se, no futuro, sempre disséssemos que não há possibilidade de realizar certas ações porque o resultado poderia ser o pior de todos, ficaríamos paralisados e nunca tomaríamos nenhuma decisão.
Então, na maioria das vezes, não temos como nos preparar para o pior. Deveria ser suficiente estarmos precavidos para eventos que somente ocorrem uma vez a cada geração. Mas uma geração não dura para sempre, e haverá momentos que

vão ultrapassar esse padrão. O que fazer? Pensei bastante sobre quanta atenção devemos dedicar a um desastre improvável. Entre outras coisas, os eventos de 2007-2008 provam que não há uma resposta fácil.

"Volatility + leverage = dynamite" (Volatilidade + alavancagem = dinamite), 17 de dezembro de 2008

Especialmente por causa das ideias apresentadas anteriormente neste capítulo, devo esclarecer uma importante distinção entre controlar os riscos e evitá-los. O controle é o melhor caminho para evitar perdas. Evitar os riscos, por outro lado, provavelmente também nos fará evitar os retornos. De vez em quando, ouço alguém dizer que a Oaktree deseja evitar os riscos relacionados aos investimentos; claro que discordo totalmente dessa afirmação.

A Oaktree, obviamente, não foge dos riscos. Nós os aceitamos no momento certo, nas situações certas e pelo preço certo. Poderíamos facilmente evitar todos os riscos, e você também. Mas, se agíssemos assim, certamente não obteríamos retornos acima da taxa sem riscos. Will Rogers disse que às vezes precisamos nos arriscar em galhos mais altos, pois é ali que estão as frutas. Nenhum de nós está neste ramo para ganhar 4%.

Assim, embora o primeiro princípio da filosofia de investimentos da Oaktree enfatize "a importância do controle de riscos", isso não tem nada a ver com evitá-los. É pela assunção do risco, quando somos bem pagos para fazê-lo — e especialmente por assumir riscos a que os outros são extremamente avessos —, que nos esforçamos para agregar valor aos nossos clientes. Quando formulado dessa maneira, o grande papel que o risco desempenha em nosso processo se torna óbvio.

Rick Funston, da Deloitte & Touche, diz, no artigo que motivou este memorando ("Quando o risco corporativo se torna pessoal", Suplemento Especial da revista *Corporate Board Member*, de 2005), que "precisamos garantir que os (...) riscos e exposições sejam compreendidos, administrados de forma adequada e mais transparentes para todos (...) Isso não é aversão ao risco, é inteligência de risco". É para isso que a Oaktree se esforça todos os dias.

"Risk" (Risco), 19 de janeiro de 2006

Investir com êxito por um longo prazo depende mais do controle de risco do que da agressividade. Os resultados da maioria dos investidores serão determinados, ao final de sua carreira, mais pela quantidade de seus investimentos ruins e pelo quão ruins eles foram do que pela grandeza de seus bons investimentos. O controle de risco competente é a marca do bom investidor.

8

O mais importante é...
estar atento aos ciclos

Devemos lembrar que quase tudo é cíclico. Mesmo tendo algumas poucas certezas, sei que as seguintes afirmações são verdadeiras: ao final, os ciclos sempre prevalecem. Nada caminha para sempre em uma só direção. As árvores não crescem até o céu. Poucas coisas chegam a zero. Quase nada é tão perigoso para a saúde dos investidores quanto a insistência em extrapolar os eventos atuais para o futuro.

Quanto mais tempo passo no mundo dos investimentos, mais aprecio a natureza cíclica de tudo. Em novembro de 2001 dediquei um memorando inteiro ao assunto. Eu o chamei de "You can't predict. You can prepare" (Você não pode prever. Você pode se preparar), tomando emprestado o *slogan* publicitário da companhia de seguros MassMutual Life, pois concordo plenamente com o tema abordado: não temos como saber o que ocorrerá no futuro, mas podemos nos preparar para as eventualidades e reduzir suas repercussões.

Nos investimentos, assim como na vida, poucas coisas são garantidas. Valores podem evaporar, estimativas carregam a possibilidade de erro, circunstâncias se modificam e "coisas certas" transformam-se em incertas. No entanto, podemos confiar em dois conceitos:

- *Regra número um*: a maioria das coisas se comportará de maneira cíclica.
- *Regra número dois*: algumas das maiores situações de ganhos e perdas ocorrem quando as pessoas se esquecem da regra número um.

Poucas coisas se movem em linha reta. Há expansão e, depois, retração. Tudo vai bem por um tempo, e depois vai mal. A expansão pode, inicialmente, ocorrer de forma rápida e, em seguida, desacelerar. A retração pode surgir gradualmente e, depois, atingir seu pico. Mas o princípio subjacente é que tudo passa por ciclos de crescimento e declínio, ascensão e queda. Isso também vale para as economias, os mercados e as empresas: períodos de ascensão e queda.

A razão básica para o comportamento cíclico do mundo é o envolvimento dos humanos. As coisas mecânicas podem seguir uma linha reta, o tempo avança de forma contínua; o mesmo pode fazer uma máquina sempre que estiver adequadamente alimentada. Mas os processos da história e da economia envolvem pessoas, e, quando há pessoas envolvidas, os resultados passam a ser variáveis e cíclicos. Acredito que a principal razão para isso é que nós, seres humanos, somos muito mais emotivos e inconsistentes do que estáveis e analíticos.

Fatores objetivos certamente desempenham um papel importante nos ciclos — fatores como as relações quantitativas, os eventos mundiais, as mudanças ambientais, os progressos tecnológicos e as decisões corporativas. No entanto, são as respostas psicológicas a esses fatores que fazem os investidores reagirem de forma exagerada ou apática e, assim, determinam a amplitude das flutuações cíclicas.

Quando as pessoas se sentem bem com sua situação atual e otimistas com o futuro, seu comportamento é fortemente impactado. Elas gastam mais e economizam menos. Tomam emprestado para aumentar seus prazeres ou seu potencial de lucro, mesmo que isso torne sua situação financeira mais precária (é claro, conceitos como precariedade são esquecidos em períodos de otimismo). E se mostram dispostas a pagar mais pelo valor atual ou por uma parte do valor futuro.

Tudo pode mudar em apenas um segundo; um dos meus cartuns favoritos mostra um comentarista de tevê dizendo "tudo o que foi bom para o mercado ontem não é bom para ele hoje". Os extremos dos ciclos são, em grande parte, resultado das emoções e fraquezas das pessoas, de sua falta de objetividade e suas inconsistências.

> Os ciclos se autocorrigem, e sua inversão não depende necessariamente de eventos exógenos. Eles se invertem (em vez de continuarem para sempre em linha reta) porque as tendências criam motivos para sua própria inversão. Por tudo isso, gosto de dizer que o sucesso carrega dentro de si as sementes do fracasso, e o fracasso, as sementes do sucesso.
>
> "YOU CAN'T PREDICT. YOU CAN PREPARE" (VOCÊ NÃO PODE PREVER. VOCÊ PODE SE PREPARAR), 20 DE NOVEMBRO DE 2001

O ciclo do crédito merece uma menção muito especial por sua inevitabilidade, extrema volatilidade e capacidade de criar oportunidades para os investidores atentos a ele. De todos os ciclos, este é o meu favorito.

Quanto mais tempo me envolvo com os investimentos, mais impressionado fico com a força do ciclo de crédito. É preciso apenas uma pequena flutuação na economia para produzir uma grande flutuação na disponibilidade de crédito, gerando grande impacto nos preços dos ativos e, por fim, novamente na própria economia. O processo é simples:

- a economia entra em um período de prosperidade;
- os provedores de capital prosperam, aumentando sua base de capital;
- já que há poucas más notícias, os riscos associados aos empréstimos e investimentos parecem ter diminuído;
- a aversão ao risco desaparece;
- as instituições financeiras começam a expandir seus negócios, ou seja, a oferecer mais capital; e
- competem por fatias do mercado, reduzindo os retornos exigidos (por exemplo, cortando as taxas de juros), reduzindo os padrões de crédito, oferecendo mais capital para uma determinada transação e flexibilizando seus contratos.

Em seu extremo, os provedores de capital acabam financiando mutuários e projetos que não mereceriam financiamento. Segundo um artigo publicado na revista *The Economist*, "os piores empréstimos são concedidos nos melhores períodos". Isso leva à destruição do capital, ou seja, leva a investimentos em projetos em que o custo do capital é maior que o retorno *sobre o* capital (ROIC, na sigla em inglês), e eventualmente há casos em que não ocorre nenhum retorno *de* capital.

Quando atinge esse ponto, o ponto mais alto do ciclo, ocorre uma inversão do período anteriormente descrito:

- por causa das perdas, os credores ficam desanimados e se afastam do mercado;
- a aversão ao risco aumenta e, com ela, as taxas de juros, as restrições ao crédito e as exigências contratuais;
- há menos capital disponível — e na parte mais baixa do ciclo, quando houver crédito, estará disponível apenas para os mutuários mais qualificados;

- as empresas não conseguem obter financiamento. Os mutuários não conseguem estender o prazo de pagamento de suas dívidas, levando a inadimplências e falências; e
- esse processo contribui e reforça a contração econômica.

É claro que, em última análise, o processo está pronto para sofrer uma nova inversão. Tendo em vista a pouca concorrência para se conceder empréstimos ou realizar investimentos, é possível se exigir rendimentos mais altos com uma alta qualidade creditícia. Os investidores com visão contrária que comprometem seu capital neste momento têm uma boa chance de obter retornos altos, e esses tentadores rendimentos potenciais começam a atrair mais capital. Dessa forma, uma recuperação começa a se configurar.

Afirmei anteriormente que os ciclos se autocorrigem. O ciclo de crédito se corrige por meio dos processos descritos anteriormente e representa um dos fatores que orientam as flutuações do ciclo econômico. A prosperidade traz uma expansão dos empréstimos, o que leva a empréstimos imprudentes que geram grandes perdas, que, por sua vez, fazem com que credores parem de emprestar, o que acaba com o período de prosperidade... e assim por diante.

Na próxima crise, olhe ao seu redor; você provavelmente encontrará alguém disposto a emprestar. Os provedores de capital extremamente permissivos costumam ajudar e instigar as bolhas financeiras. Há inúmeros exemplos recentes em que o crédito fácil contribuiu para crescimentos econômicos seguidos de crises famosas: crise dos imóveis entre 1989 e 1992; dos mercados emergentes entre 1994 e 1998; do Long-Term Capital Management[16] em 1998; da indústria cinematográfica em 1999-2000; dos fundos de *venture capital* e empresas de telecomunicações entre 2000 e 2001. Em cada uma delas, credores e investidores ofereceram muito dinheiro barato, resultando em crescimento excessivo e perdas dramáticas. No filme *Campo dos sonhos*, dizem a Ray Kinsella, personagem de Kevin Costner: "se você o construir, eles virão". No mundo financeiro, quando alguém oferece dinheiro barato, as pessoas tomarão emprestado, comprarão e construirão, muitas vezes de forma indisciplinada e com consequências muito negativas.

"YOU CAN'T PREDICT. YOU CAN PREPARE" (VOCÊ NÃO PODE PREVER. VOCÊ PODE SE PREPARAR), 20 DE NOVEMBRO DE 2001

---

16. O Long-Term Capital Management (LTCM) foi um famoso *hedge fund* fundado em 1994 por John Meriwether. (N.E.)

Note que esse memorando, escrito há quase dez anos, descreve perfeitamente o processo de surgimento da crise financeira de 2007-2008. Não foi nenhuma capacidade de prever o futuro que me permitiu escrever o texto, foi apenas a familiaridade com um ciclo subjacente interminável.

~

Os ciclos nunca deixarão de ocorrer. Se existisse um mercado completamente eficiente, e se as pessoas realmente tomassem decisões de forma racional e não movidas pelas emoções, talvez os ciclos (ou pelo menos seus extremos) deixassem de existir. Mas isso nunca acontecerá.

As economias verão períodos de crescimento e de declínio à medida que os consumidores aumentam ou diminuem seus gastos, respondendo emocionalmente a fatores econômicos ou eventos exógenos, geopolíticos ou de ocorrência natural. As empresas continuarão esperando por um futuro brilhante durante o ciclo de expansão e, por isso, ampliarão instalações e estoques de maneira excessiva, o que se tornará oneroso quando a economia entrar em declínio. Os provedores de capital serão muito generosos quando a economia estiver indo bem, apoiando a superexpansão com dinheiro barato, e, então, eles puxarão as rédeas com força quando o cenário deixar de parecer tão positivo. Os investidores supervalorizarão as empresas quando elas estiverem indo bem e as subvalorizarão quando as coisas ficarem difíceis.

E, ainda assim, a cada década, mais ou menos, as pessoas dirão que os ciclos acabaram. Ou elas acreditam que os períodos bons nunca terão fim ou que as tendências negativas não podem ser controladas. Nesses momentos, elas falam sobre "ciclos virtuosos" ou "ciclos viciosos" que se retroalimentam e continuam para sempre em uma direção ou outra.

Caso em questão: no dia 15 de novembro de 1996, *The Wall Street Journal* publicou uma reportagem sobre um tema que vinha se transformando em consenso. Segundo o jornal, havia uma concordância geral de que os grandes ciclos econômicos negativos haviam chegado ao fim. Alguém se lembra de um ambiente econômico estável e sem ciclos desde então? O que explicaria a crise de 1998, a recessão de 2002 e a crise financeira de 2008 — a pior recessão desde a Segunda Guerra Mundial?

A crença de que os ciclos acabaram exemplifica uma maneira de pensar com base na premissa perigosa de que "desta vez é diferente". Essas quatro palavras devem amedrontar (talvez sugerir uma oportunidade de lucro) quem entende o passado e sabe que ele se repete. Assim, é muito importante que consigamos reconhecer esse tipo de erro sempre que ele surgir.

Um dos meus livros favoritos é um pequeno volume, publicado em 1932 e intitulado *Oh Yeah?*, uma compilação da sabedoria de empresários e líderes políticos antes da crise de 1929. Parece que, mesmo naquela época, os especialistas previam uma economia sem ciclos:

- Nossa prosperidade atual não será interrompida (Myron E. Forbes, presidente da Pierce Arrow Motor Car Company, 1º de janeiro de 1928).
- Não posso deixar de levantar uma voz dissidente às afirmações de que... a prosperidade neste país vai necessariamente diminuir e recuar no futuro. (E.H.H. Simmons, presidente da Bolsa de Valores de Nova York, 12 de janeiro de 1928).
- Estamos apenas no início de um período que entrará para a história como a era de ouro (Irving T. Bush, presidente da Bush Terminal Company, 15 de novembro de 1928).
- Os fundamentos econômicos do país (...) têm uma base sólida e próspera. (presidente Herbert Hoover, 25 de outubro de 1929)

De vez em quando, há um longo e/ou extremo período de alta ou de baixa, e as pessoas começam a dizer "desta vez é diferente". Elas citam as mudanças geopolíticas, institucionais, tecnológicas ou comportamentais que tornaram obsoletas as "velhas regras"; tomam decisões de investimento que extrapolam a tendência recente. E, então, acontece que as regras antigas ainda são válidas, e o ciclo recomeça. No final, as árvores não crescem até o céu, e poucas coisas chegam a zero. Em vez disso, a maioria dos fenômenos acaba se revelando cíclica.

"YOU CAN'T PREDICT. YOU CAN PREPARE" (VOCÊ NÃO PODE PREVER. VOCÊ PODE SE PREPARAR), 20 DE NOVEMBRO DE 2001

Nossa conclusão é que, na maioria das vezes, o futuro se parecerá muito com o passado e terá ciclos de alta e de baixa. Há um momento certo para afirmar que as coisas serão melhores; isso ocorre quando o mercado está em baixa e todos estão vendendo a preços baixíssimos. Entretanto, quando o mercado está em níveis recordes, é perigoso tentar impor uma racionalização positiva que, no passado, nunca se mostrou verdadeira. Mas isso já foi feito antes e será feito de novo.

"WILL IT BE DIFFERENT THIS TIME?" (SERÁ QUE VAI SER DIFERENTE DESTA VEZ?), 25 DE NOVEMBRO DE 1996

Ignorar ciclos e extrapolar tendências é uma das coisas mais perigosas que um investidor pode fazer. As pessoas geralmente agem como se as empresas que estão bem hoje fossem continuar assim para sempre e como se os investimentos que hoje são bons fossem permanecer bons, e vice-versa. Em vez disso, o oposto é o que tem mais probabilidade de ser verdade.

Quando os investidores novatos veem esse fenômeno ocorrer pela primeira vez, é compreensível que aceitem que algo que nunca tenha acontecido antes — a cessação dos ciclos — possa acontecer. Entretanto, quando testemunham isso pela segunda ou terceira vez, esses investidores, agora experientes, deveriam perceber que os ciclos nunca deixarão de existir e transformar esse entendimento em uma vantagem.

Da próxima vez que você for abordado por alguém com uma proposta de investimentos com base na previsão de que os ciclos vão deixar de ocorrer, lembre-se de que essa é, invariavelmente, uma aposta perdida.

9

O mais importante é...
estar ciente do pêndulo

> Quando tudo vai bem e os preços estão altos, os investidores correm para comprar, deixando de lado toda a prudência. Então, quando há caos por toda parte e os ativos estão expostos no balcão da pechincha, eles perdem toda a vontade de assumir riscos e correm para vender. E sempre será assim.

O segundo memorando que escrevi, em 1991, foi dedicado quase inteiramente a um assunto sobre o qual, ao longo dos anos, passei a pensar cada vez mais: a oscilação pendular das posturas e dos comportamentos dos investidores.

As mudanças de humor dos mercados de valores mobiliários se assemelham ao movimento de um pêndulo. Embora o ponto médio do arco seja o que melhor descreva a localização do pêndulo "em média", ele realmente passa muito pouco tempo nesse ponto. Em vez disso, está quase sempre oscilando entre os extremos de seu arco. No entanto, sempre que o pêndulo está perto de uma das extremidades, mais cedo ou mais tarde, volta inevitavelmente para o ponto médio. Na verdade, é o movimento em direção a um extremo em si que fornece energia para que oscile até o outro extremo.

Os mercados de investimento oscilam de forma similar a um pêndulo:

- entre a euforia e a depressão;
- entre a celebração dos acontecimentos positivos e a obsessão pelos negativos; e, assim,
- entre a sobrevalorização e a subvalorização.

Essa oscilação é uma das características mais confiáveis do mundo dos investimentos, e os fatores psicológicos dos investidores parecem levá-los a passar muito mais tempo nos extremos do que em um "bom meio-termo".

"FIRST QUARTER PERFORMANCE" (DESEMPENHO DO
PRIMEIRO TRIMESTRE), 11 DE ABRIL DE 1991

Treze anos depois, em outro memorando, revisitei longamente o assunto do pêndulo. Nele, observei que, além dos elementos mencionados anteriormente, o pêndulo também oscila entre a ganância e o medo; entre a disposição para enxergar os fatos através de um filtro otimista ou pessimista; em direção à fé em acontecimentos que estão por vir; entre a credulidade e o ceticismo; e entre a tolerância e a aversão ao risco.

Esta última oscilação (posturas relacionadas ao risco) é uma característica comum de muitas flutuações do mercado.

A aversão ao risco é *o* principal ingrediente de um mercado racional, como eu já disse anteriormente, e a posição do pêndulo em relação a ela é particularmente importante. Uma aversão inadequada ao risco é um dos principais fatores dos excessos do mercado e posteriores bolhas e crises. É uma simplificação excessiva — mas não grave — dizer que a pouca aversão ao risco constitui a característica inevitável das bolhas. Nas crises, por outro lado, os investidores estão demasiadamente temerosos. A aversão excessiva ao risco os impede de comprar, até mesmo quando os preços não incorporam nenhum otimismo (apenas o pessimismo) e quando as avaliações estão absurdamente baixas.

Em minha opinião, o ciclo ganância-medo é causado pela mudança de postura em relação ao risco. Quando a ganância é predominante, isso significa que os investidores se sentem extremamente confortáveis com o risco e com a ideia de assumi-lo para obter maiores lucros. Por outro lado, o medo generalizado indica um alto grau de aversão ao risco. Os acadêmicos veem as posturas dos investidores em relação a situações arriscadas como uma constante, mas certamente ela tem uma grande variabilidade. A teoria das finanças depende fortemente da suposição de que os investidores são avessos ao risco. Ou seja, eles não preferem o risco, e devem ser induzidos — coagidos — a assumi-lo pela promessa de retornos almejados mais elevados.

Obter retornos muito altos de investimentos arriscados é um oximoro. Mas há momentos em que essa ressalva é ignorada: quando as pessoas estão muito confortáveis com o risco e, portanto, quando os preços dos ativos incorporam um prêmio inadequado para compensar o risco que os investidores estão assumindo...

Quando os investidores em geral estão muito tolerantes ao risco, os preços dos ativos podem incorporar mais risco do que retornos. Quando os investidores estão muito avessos ao risco, os preços podem oferecer mais retornos do que risco.

"THE HAPPY MEDIUM" (O BOM MEIO-TERMO), 21 DE JULHO DE 2004

O balanço pendular em relação às posturas tomadas acerca do risco é um dos mais poderosos. Por isso, recentemente, limitei a dois os principais riscos de se investir: o risco de perder dinheiro e o risco de perder oportunidades. É possível eliminar qualquer um deles quase inteiramente, mas não ambos. Em um mundo ideal, os investidores conciliam essas duas preocupações. Mas, de tempos em tempos, nos pontos extremos da oscilação do pêndulo, um deles acaba predominando. Por exemplo:

- Em 2005, 2006 e início de 2007, com as coisas indo tão bem e o mercado de capitais bastante aberto, poucas pessoas imaginaram que haveria perdas logo à frente. Muitos acreditavam que não havia mais risco. Sua única preocupação era perder uma oportunidade; se Wall Street inventasse algum novo milagre financeiro e outros investidores o comprassem (e, ainda, se o milagre funcionasse), acabariam parecendo muito conservadores e perderiam terreno. Como não estavam preocupados em perder dinheiro, não insistiram em preços baixos, prêmios de risco adequados ou proteção ao investidor. Em suma, eles se comportaram de forma extremamente agressiva.
- Então, no final de 2007 e em 2008, em meio à crise de crédito, as pessoas começaram a temer um colapso completo do sistema financeiro mundial. Ninguém mais se preocupava com perder oportunidades; o pêndulo havia oscilado para um ponto em que as pessoas só conseguiam se preocupar com a perda; por isso, passaram a fugir de qualquer coisa que tivesse o mínimo cintilar de risco (independentemente do rendimento potencial) e buscaram a segurança dos títulos públicos, com rendimentos próximos a zero. Nesse ponto, então, os investidores ficaram extremamente temerosos, vendiam rapidamente e criavam carteiras muito defensivas.

Assim, os últimos anos nos ofereceram uma oportunidade extraordinariamente clara de testemunhar a oscilação do pêndulo... e ver como a maioria das pessoas faz, de forma consistente, a coisa errada na hora errada. Quando tudo vai bem, e os preços estão altos, os investidores correm para comprar, deixando de lado toda a prudência. Então, quando há caos por toda parte e os ativos estão expostos no balcão da pechincha, eles perdem toda a vontade de assumir riscos e correm para vender. E sempre será assim.

~

Bem no início da minha carreira, um investidor veterano me contou sobre as três etapas de um mercado com tendência altista. Agora vou compartilhá-las:

- primeira, quando algumas pessoas com visão prospectiva começam a acreditar que as coisas serão melhores;
- segunda, quando a maioria dos investidores percebe que a melhora está realmente acontecendo; e
- terceira, quando todos concluem que as coisas serão sempre melhores.

Por que perder tempo em busca de uma descrição melhor? O texto a seguir explica. É importante que entendamos seu significado.

O mercado tem mente própria, e as mudanças dos parâmetros de valoração de ativos, causadas principalmente pelas mudanças psicológicas dos investidores (não mudanças nos fundamentos), respondem pela maior parte das mudanças de curto prazo nos preços dos ativos. Esses fatores psicológicos também oscilam como um pêndulo.

Ações são mais baratas quando tudo parece sombrio. O cenário deprimente as mantém baratas, e apenas alguns caçadores de pechinchas, astutos e corajosos, estão dispostos a assumir novos posicionamentos. Talvez por atraírem alguma atenção ao serem compradas ou talvez porque o cenário tenha se tornado um pouco menos deprimente (por uma razão ou outra), o mercado começa a subir.

Depois de um tempo, o cenário começa a parecer um pouco menos pessimista. As pessoas começam a perceber melhorias e deixam de precisar de muitas desculpas para voltar a comprar. É claro que, assim que a economia e o mercado saem da crise, passam a pagar preços que refletem mais os valores justos das ações.

E, no tempo devido, a tontice volta ao mercado. Encorajadas pela melhora dos resultados econômicos e corporativos, as pessoas veem-se dispostas a extrapolar isso. As massas ficam animadas (e invejosas) com os lucros obtidos pelos investidores que chegaram mais cedo ao mercado e querem participar. Além disso, ignoram a natureza cíclica das coisas e concluem que os lucros continuarão a existir para sempre. É por isso que eu amo o velho ditado "tudo que o sábio faz no início o tolo faz no final". Há algo mais importante: nos estágios finais dos grandes mercados altistas, as pessoas estão dispostas a pagar preços altos pelas ações, presumindo que esse período bom se manterá assim para sempre.

"YOU CAN'T PREDICT. YOU CAN PREPARE" (VOCÊ NÃO PODE PREVER. VOCÊ PODE SE PREPARAR), 20 DE NOVEMBRO DE 2001

Trinta e cinco anos depois de eu ter aprendido sobre as etapas de um mercado com tendência altista, depois que as fraquezas das hipotecas *subprime* (e seus detentores) foram expostas, e enquanto as pessoas estavam preocupadas com uma crise mundial pelo contágio, resolvi descrever o outro lado da moeda, isto é, as três etapas de um mercado com tendência baixista:

- primeira, quando apenas alguns investidores sensatos reconhecem que, apesar da alta predominante, as coisas não continuarão boas para sempre;
- segunda, quando a maioria dos investidores reconhece que as coisas estão se deteriorando; e
- terceira, quando todos estão convencidos de que as coisas só podem piorar.

Estamos certamente na segunda etapa dessas três. Houve muitas más notícias e baixas. As pessoas vêm reconhecendo cada vez mais os perigos inerentes a coisas como inovação, alavancagem, derivativos, risco de contrapartida e contabilidade de marcação a mercado (em inglês, *mark-to-market*). Além disso, os problemas parecem cada vez mais insolúveis.

Um dia desses, porém, chegaremos à terceira etapa e as pessoas desistirão de buscar uma solução. E a menos que o mundo financeiro realmente acabe, é provável que encontremos as melhores oportunidades de investimento de nossa vida. As maiores baixas ocorrem quando todos se esquecem de que a maré também volta a subir. Vivemos para esses momentos.

"THE TIDE GOES OUT" (CHEGA A MARÉ BAIXA), 18 DE MARÇO DE 2008

Apenas seis meses depois de eu ter escrito esse texto, os acontecimentos já tinham nos levado à terceira etapa. Naquele momento, considerava-se possível um colapso total do sistema financeiro mundial; na verdade, os primeiros passos já haviam ocorrido — a falência do Lehman Brothers e a absorção ou resgate de Bear Stearns, Merrill Lynch, AIG, Fannie Mae, Freddie Mac, Wachovia e WaMu. Como essa havia sido a maior crise de todos os tempos, os investidores, mais do que nunca, aderiram à terceira etapa, durante a qual "todos estão convencidos de que as coisas só podem piorar". Assim, em muitas classes de ativos, os eventos determinados pela oscilação do pêndulo, a saber, o declínio dos preços em 2008, as oportunidades de investimentos no ponto mais baixo e os lucros em 2009, foram os maiores que eu já vi.

A importância de tudo isso está na oportunidade que oferece àqueles que entendem os acontecimentos e enxergam suas implicações. Em um extremo do pêndulo — o período mais sombrio —, é preciso ter habilidade analítica, objetividade, determinação e até mesmo imaginação para acreditar que as coisas serão melhores. Poucos, os que possuem essas qualidades, conseguem obter lucros incomuns e com baixo risco. No outro extremo, entretanto, em que todos fazem suas suposições e levam os preços a níveis impossíveis — melhorias eternas —, fica estabelecido o cenário das perdas dolorosas.

Tudo acontece em conjunto. Nada disso é um evento isolado ou uma ocorrência casual. Todos são, na verdade, elementos de um padrão recorrente que pode ser entendido e aproveitado.

A oscilação pendular do investidor é muito semelhante à flutuação de altas e baixas dos ciclos econômicos e de mercado descritos no capítulo 8. Por alguma razão, eu me encontro fazendo uma distinção entre as duas e falando delas em termos diferentes, mas ambas são altamente importantes, e as principais lições das duas são as mesmas. Com a vantagem dos quase vinte anos de experiência que se passaram desde que escrevi o primeiro memorando sobre o pêndulo, em 1991, reformularei suas principais observações:

- Em teoria, no que diz respeito a polaridades, como medo e ganância, o pêndulo deveria permanecer mais tempo em um ponto médio entre os extremos. Mas não permanece ali por muito tempo.
- Principalmente por causa da forma como funcionam os fatores psicológicos dos investidores, geralmente o pêndulo está oscilando em direção a uma de suas extremidades ou saindo delas.
- O pêndulo não pode continuar a movimentar-se em direção a um único extremo, ou nele permanecerá para sempre (ainda que as pessoas costumem descrever o ponto máximo do pêndulo como uma condição permanente).
- Semelhante a um pêndulo, a oscilação emocional dos investidores em direção a uma das extremidades leva a um acúmulo de energia que, ao final, contribuirá para que o pêndulo se dirija à outra extremidade. Às vezes, a energia acumulada é em si a causa da mudança de direção, ou seja, a oscilação do pêndulo em direção a um extremo é corrigida por seu próprio peso.

- O movimento de volta é geralmente mais rápido — e, portanto, leva muito menos tempo — do que as oscilações que levam o pêndulo até a extremidade. (Ou, como costuma dizer meu sócio Sheldon Stone, "o ar sai do balão muito mais rápido do que entrou".)

A ocorrência desse padrão similar a um pêndulo é extremamente confiável na maioria dos fenômenos de mercado. Contudo, assim como ocorre na oscilação dos ciclos, nunca temos conhecimento sobre:

- qual será o ponto máximo do arco de oscilação do pêndulo;
- o que pode fazer com que o movimento até uma extremidade pare e mude sua direção;
- em que momento ocorrerá a reversão; ou
- qual será seu ponto máximo na direção oposta.

Para que uma fase de tendência altista (...) ocorra, o ambiente deve ter como características a ganância, o otimismo, a exuberância, a confiança, a credulidade, a ousadia, a tolerância ao risco e a agressividade. Mas essas características não governarão um mercado para sempre. Chegará um momento em que serão substituídas por medo, pessimismo, prudência, incerteza, ceticismo, cautela, aversão ao risco e reticência... As crises são produto dos *booms*, e estou convencido de que é geralmente mais correto atribuir uma crise aos excessos do *boom* do que ao evento específico que desencadeia a correção do curso.

"NOW WHAT?" (E AGORA?), 10 DE JANEIRO DE 2008

Podemos ter certeza de poucas coisas, esta é uma delas: o comportamento extremo do mercado será revertido. Aqueles que acreditam que o pêndulo se manterá para sempre em uma mesma direção — ou permanecerá em uma das extremidades indefinidamente — perderão grandes somas em um momento ou em outro. Aqueles que entendem o comportamento pendular poderão obter enormes benefícios.

10

O mais importante é... combater as influências negativas

O querer mais, o medo de perder oportunidades, a tendência de se comparar com os outros, a influência da multidão e o sonho da garantia de certeza são fatores quase universais. Assim, causam um profundo impacto coletivo na maioria dos investidores e dos mercados. O resultado são os erros, e estes são frequentes, generalizados e recorrentes.

As ineficiências (precificações erradas, percepções erradas, erros que outras pessoas cometem) oferecem oportunidades potenciais para a obtenção de maiores lucros. Explorá-las é, de fato, o *único* caminho para a obtenção consistente de lucros acima da média. Para se distinguir dos outros, é preciso tomar proveito desses erros.

∼

Por que os erros ocorrem? Porque investir é uma ação empreendida por seres humanos, e a maioria deles está à mercê de suas estruturas mentais e emocionais. Muitas pessoas têm inteligência necessária para analisar dados, mas poucas conseguem observar e resistir à poderosa influência dos fatores psicológicos. Para dizer isso de outra forma, muitas chegarão a conclusões cognitivas semelhantes a partir de suas análises, porém o que fazem com essas conclusões varia profundamente, porque os fatores psicológicos as afetam de diferentes formas. Em termos de investimentos, os maiores erros não têm origem em fatores ligados à informação ou à análise, mas em fatores psicológicos. Os aspectos psicológicos dos investidores, que vamos examinar neste capítulo, incluem muitos elementos distintos; entretanto, o ponto mais importante é lembrar que eles costumam resultar em decisões incorretas. Podemos acomodar grande parte disso sob um único cabeçalho: natureza humana.

A primeira emoção que mina os esforços dos investidores é o desejo por dinheiro, especialmente quando se transforma em *ganância*.

A maioria das pessoas investe para ganhar dinheiro. (Embora algumas pessoas participem do mercado como um exercício intelectual ou por este ser um bom campo para dar vazão à sua competitividade, elas também verificam seu êxito em termos financeiros. É possível que o dinheiro em si não seja o objetivo de todas as pessoas, mas essa é a unidade de medida de todos. Em geral, quem não se importa com dinheiro não investe.)

Não há nada de errado em tentar ganhar dinheiro. De fato, o desejo de lucro é um dos elementos mais importantes no funcionamento do mercado e da economia global. O perigo ocorre quando se transforma em ganância, termo definido pelo dicionário *Merriam-Webster* como "avidez desordenada ou desmedida e geralmente repreensível, especialmente por riqueza ou lucro".

A ganância é uma força extremamente poderosa. Tem força suficiente para superar o senso comum, a aversão ao risco, a prudência, a cautela, a lógica, a memória de dolorosas lições do passado, a determinação, o medo e todos os outros elementos que manteriam os investidores longe de problemas. Em vez disso, de tempos em tempos a ganância leva os investidores a lançar-se à sorte junto com a multidão em busca do lucro; contudo, acabam pagando o preço ao final.

> Ganância e otimismo, juntos, levam o investidor a buscar estratégias que, pensa, produzirão altos retornos com baixo risco; a pagar preços elevados por ativos que estão na moda; e a segurar ativos mesmo depois de terem se tornado extremamente caros, esperando que ainda recebam alguma valorização. Mais tarde, o olhar retrospectivo mostrará a todos o que deu errado: as expectativas eram irrealistas e os riscos foram ignorados.
>
> "HINDSIGHT FIRST, PLEASE (OR, WHAT WERE THEY THINKING?)" [RETROSPECTIVA PRIMEIRO, POR FAVOR (OU, EM QUE ESTAVAM PENSANDO?)], 17 DE OUTUBRO DE 2005

A contrapartida da ganância é o *medo* — o segundo fator psicológico que devemos considerar. No mundo dos investimentos, o termo não significa aversão lógica e sensata ao risco. O *medo* — assim como a ganância — conota o excesso. Medo, então, é algo mais parecido com o pânico, uma preocupação excessiva que impede os investidores de tomar decisões construtivas no momento certo.

Muitas vezes, ao longo de minha carreira, fiquei impressionado com a facilidade que as pessoas têm de, por vontade própria, suspender as regras da realidade. Assim, o terceiro fator que gostaria de discutir se refere à tendência das pessoas a descartar a lógica, a história e os modelos tradicionalmente estabelecidos. Por meio dessa tendência, aceitam propostas improváveis para torná-las ricas que não fazem nenhum sentido. Charlie Munger me ofereceu uma bela citação de Demóstenes sobre o tema: "Nada é mais fácil do que se iludir, pois as pessoas acreditam que aquilo que desejam seja também verdadeiro". A crença de que algumas restrições fundamentais não são mais válidas — e, portanto, que as noções históricas relativas a valor justo não importam mais — está invariavelmente no centro de todas as bolhas e, consequentemente, das crises.

> Na ficção, a suspensão das regras da realidade nos oferece maior diversão. Quando assistimos a *Peter Pan*, não queremos ouvir a pessoa sentada ao nosso lado dizer que consegue ver os fios que suspendem os personagens no ar (mesmo sabendo que há realmente fios). Embora saibamos que os garotos não podem voar, não nos importamos com isso. Estamos ali pela diversão.
>
> Porém vemos os investimentos como algo sério, não como diversão, e devemos estar constantemente atentos a coisas que não podem realmente ocorrer. Em suma, o processo de investimento requer uma forte dose de realidade... O ceticismo inadequado contribui para perdas em investimentos. Com muita frequência, as autópsias dos desastres financeiros incluem duas frases clássicas: "Era bom demais para ser verdade!" e "Em que estavam pensando?".
>
> "HINDSIGHT FIRST, PLEASE (OR, WHAT WERE THEY THINKING?)"
> [RETROSPECTIVA PRIMEIRO, POR FAVOR (OU, EM QUE
> ESTAVAM PENSANDO?)], 17 DE OUTUBRO DE 2005

O que faz os investidores caírem nessas ilusões? A resposta costuma estar na facilidade com que — geralmente a serviço da ganância — descartam ou ignoram as lições do passado. A "extrema brevidade da memória financeira", nas belíssimas palavras de John Kenneth Galbraith, impede que os participantes do mercado reconheçam a natureza recorrente desses padrões e, portanto, sua inevitabilidade:

> Quando as mesmas circunstâncias ou outras extremamente semelhantes ocorrem novamente, às vezes, apenas alguns anos depois, já são saudadas por uma nova geração, geralmente jovem e extremamente autoconfiante, como uma descoberta

brilhante e inovadora do mundo financeiro e econômico. Há poucas áreas do esforço humano em que a história vale tão pouco quanto no mundo das finanças. A experiência do passado, na medida em que faz parte da memória, é descartada como o refúgio primitivo daqueles que não têm a visão de apreciar as incríveis maravilhas do presente. (John Kenneth Galbraith. *A Short History of Financial Euphoria*. New York: Viking, 1990)[17]

Vale a pena discutirmos mais sobre o investimento infalível que, segundo se acredita, produzirá altos retornos sem nenhum risco: a coisa certa ou almoço grátis.

Quando um mercado, um indivíduo ou uma técnica de investimento produz retornos impressionantes durante certo tempo, geralmente atraem devoção excessiva (e inquestionável). Eu chamo essa solução do momento de "bala de prata". Os investidores estão sempre procurando por ela. Independentemente do nome, seja Santo Graal ou almoço grátis, todos querem a fórmula da riqueza sem risco. Poucos questionam se isso é algo possível e, se for, porque estaria disponível para elas. Em essência, a esperança é a última que morre.

Mas a bala de prata não existe. Nenhuma estratégia é capaz de produzir altas taxas de retorno sem risco. E ninguém tem todas as respostas; somos humanos. Os mercados são altamente dinâmicos e, entre outras coisas, costumam funcionar de modo a descartar as oportunidades de lucros incomuns. A crença ilusória de que a bala de prata está ao alcance das mãos acaba penalizando todo o nosso capital.

"THE REALIST'S CREED" (O CREDO REALISTA), 31 DE MAIO DE 2002

O que nos faz acreditar em balas de prata? Em primeiro lugar, geralmente há uma ponta de verdade. É contada por meio de uma história com aparência de teoria inteligente; seus adeptos, em cima de palanques improvisados, espalham a ideia, tentando convencer os outros. Então, durante certo tempo, gera lucros, seja por mérito próprio, seja porque as compras dos novos convertidos elevaram o preço do ativo. Por fim, a aparência de que (a) há um atalho certo para ficar rico, e (b) está funcionando, transforma a "bala" em uma moda. Como disse Warren Buffett ao Congresso em 2 de junho de 2010: "Os preços crescentes são um narcótico que afeta o poder de raciocínio de todos". Mas, depois de já ter ocorrido — depois de ter estourado —, uma moda passa a ser chamada de bolha.

---

17. J. K. Galbraith. *Uma breve história da euforia financeira*. São Paulo: Pioneira, 1992.

O quarto fator psicológico que contribui para que o investidor cometa erros é a *tendência a se conformar com a visão do rebanho*, em vez de resistir, mesmo quando essa visão é claramente absurda. Em *How markets fail* (Como os mercados quebram), John Cassidy descreve experimentos clássicos de psicologia conduzidos na década de 1950 por Solomon Asch na Faculdade de Psicologia da Swarthmore College. Asch pediu às pessoas dos grupos participantes da pesquisa que fizessem julgamentos sobre peças visuais; todos os "participantes", exceto um em cada grupo, eram associados ao pesquisador. Os associados produziam erros intencionais, cujo impacto sobre o único participante real era dramático. Cassidy explica, "essa configuração colocou o participante real em uma posição embaraçosa; [conforme disse Asch], 'carregamos seus ombros com duas forças opostas: a evidência de seus sentidos e a opinião unânime de seus pares'".

Uma grande porcentagem dos participantes reais ignorou o que viu e ficou do lado dos outros membros do grupo, embora estivessem obviamente errados. Isso indica a influência da multidão e, portanto, sugere reservas sobre a validade das decisões do consenso.

"Assim como os participantes dos experimentos visuais de Solomon Asch na década de 1950", escreve Cassidy, "muitas pessoas que não compartilham a visão consensual do mercado começam a sentir-se como párias. Por fim, há um momento em que as pessoas que aparentam estar loucas são aquelas que não estão no mercado".

Com muita frequência, a combinação entre a pressão para se conformar e o desejo de enriquecer faz com que as pessoas abandonem sua independência e o ceticismo e superem a aversão inata ao risco; as pessoas passam a acreditar em coisas que não fazem sentido. Esse comportamento ocorre de forma tão regular que não acredito que seja algo aleatório; é possível que exista uma causa distinta por trás disso.

A quinta influência psicológica é a *inveja*. Por mais negativa que seja a força da ganância, estimulando as pessoas a querer sempre mais, o impacto é ainda mais forte quando elas se comparam às outras. Esse é um dos aspectos mais nocivos do que chamamos de natureza humana.

Pessoas que, sozinhas, são perfeitamente felizes com sua sorte podem se tornar melancólicas ao encontrar outras em situação melhor que a delas. No caso dos investimentos, a maioria acha terrivelmente difícil ficar sentada e apenas assistir aos outros ganhando mais dinheiro.

Conheço uma instituição sem fins lucrativos cujos fundos tiveram lucros de 16% ao ano de junho de 1994 a junho de 1999, mas havia desânimo, pois seus pares conseguiram obter uma média de 23%. Por não possuir ações de crescimento, ações de tecnologia, aquisições do tipo *buyout* nem *venture capital*, o fundo não manteve o mesmo passo de seus pares por meia década. As ações de tecnologia, entretanto, entraram em colapso e, de junho de 2000 a junho de 2003, a instituição ganhou 3% ao ano, enquanto a maioria das outras instituições sofria perdas. Os *stakeholders* ficaram entusiasmados.

Há algo errado aqui. Como as pessoas podem ser infelizes lucrando 16% ao ano e felizes ganhando 3%? A resposta está na tendência de nos compararmos aos outros e no impacto deletério que isso pode ter no que deveria ser um processo construtivo e analítico.

A sexta grande influência é o *ego*. Talvez seja extremamente desafiador manter-se objetivo e calculista diante de fatos como estes:

- os resultados dos investimentos são avaliados e comparados a curto prazo;
- em geral, tomar a decisão incorreta, ou mesmo imprudente, de assumir riscos maiores resulta nos melhores retornos nos períodos bons (sabendo- -se que a maioria dos períodos é composta de períodos bons); e
- os melhores retornos trazem as maiores recompensas para o ego — quando tudo vai bem, é muito agradável se sentir inteligente e notar outras pessoas concordando com isso.

Em contraste, os investidores sensatos podem trabalhar na obscuridade, obtendo lucros sólidos nos períodos bons e perdendo menos do que outros nos ruins. Evitam compartilhar o comportamento mais arriscado porque estão cientes do quanto não sabem e porque mantêm seus egos sob controle. Essa, como vejo, é a melhor fórmula para a criação de riqueza a longo prazo — contudo, não oferece grandes gratificações ao ego em um prazo curto. Não é muito glamoroso seguir um caminho que enfatize a humildade, a prudência e o controle de riscos. Embora os investimentos e o *glamour* não devessem andar de mãos dadas, isso é o que muitas vezes acontece.

Finalmente, quero mencionar um fenômeno que chamo de capitulação, uma característica comum do comportamento dos investidores no final dos ciclos. Esses investidores mantêm suas convicções o máximo que podem, mas, quando as pressões econômicas e psicológicas se tornam irresistíveis, eles se rendem e se juntam aos outros.

Em geral, as pessoas que escolhem trabalhar com investimentos são inteligentes, bem-educadas, bem informadas e dominam conhecimentos matemáticos. Elas conhecem as nuances dos negócios e da economia e entendem as teorias complexas. Muitas são capazes de chegar a conclusões razoáveis sobre valores e perspectivas.

Mas então a psicologia e as influências da multidão se envolvem no jogo. Na maior parte do tempo, os ativos estão sobreprecificados e ficando mais caros ou subprecificados e ficando ainda mais baratos. Em certo momento, essas tendências acabam tendo um efeito corrosivo que envolve a psique, a convicção e a determinação dos investidores. As ações que foram rejeitadas dão dinheiro a outros, aquelas que foram compradas estão cada dia mais baratas, e os conceitos deixados de lado por parecer inseguros ou imprudentes (investimentos da moda, ações de tecnologia de alto preço e sem lucros, derivativos hipotecários altamente alavancados) são descritos diariamente como ativos que geram lucros a outros.

Já que uma ação sobreprecificada fica ainda mais cara ou uma ação subprecificada continua a ficar mais barata, deveria ser mais fácil fazer a coisa certa: vender a primeira e comprar a segunda. Mas não é isso que acontece. A tendência de duvidarmos de nós mesmos junta-se com as notícias do êxito de outras pessoas, o que forma uma força poderosa que leva os investidores a fazer a coisa errada; o processo toma corpo à medida que a tendência ganha continuidade. É mais uma influência que deve ser combatida.

O querer mais, o medo de perder oportunidades, a tendência de se comparar com outros, a influência da multidão e o sonho da certeza são fatores quase universais. Assim, causam um profundo impacto coletivo na maioria dos investidores e dos mercados. Isso ocorre especialmente nas extremidades do mercado. Os resultados são os erros, e esses erros são frequentes, generalizados e recorrentes.

~

Tudo isso parece muito teórico, algo que não pode ser aplicado a você? Espero sinceramente que tenha razão. Porém, caso duvide que as pessoas racionais podem sucumbir às forças prejudiciais da emoção, deixe-me lembrá-lo de duas palavrinhas: bolha tecnológica. Já mencionei anteriormente esse momento louco como prova do que acontece quando os investidores desconsideram a necessidade de uma relação razoável entre valor e preço. Por que eles abandonam o bom senso? Por causa de algumas das mesmas emoções de que falamos anteriormente: a ganância, o medo, a inveja, a ilusão, o ego. Façamos uma revisão do cenário para assistirmos aos fatores psicológicos em ação.

A década de 1990 foi um período muito bom para as ações. Houve dias e meses ruins, é claro, e momentos traumáticos — como o grande aumento das taxas de juros em 1994 —, mas o índice Standard & Poor's 500 apresentou lucros em todos os anos entre 1991 e 1999, inclusive, seu retorno foi de 20,8% ao ano. Esses resultados foram suficientes para criar um sentimento otimista entre os investidores e torná-los mais receptivos às histórias de alta.

As ações de crescimento tiveram um desempenho um pouco melhor do que as ações de valor no início da década — talvez como resposta aos bons rendimentos relativos das ações de valor na década de 1980. Isso também fez aumentar a disposição dos investidores em valorizar o potencial de crescimento das empresas.

Os investidores estavam encantados com as inovações tecnológicas. Parecia que a banda larga, a internet e o comércio eletrônico estavam prestes a mudar o mundo; por isso, os empreendedores de tecnologia e telecomunicações eram idolatrados.

As ações de tecnologia ficaram mais caras, atraindo mais compradores, o que levou a uma maior valorização, em um processo que, como de costume, assumia a aparência de um círculo virtuoso sem fim.

As racionalizações aparentemente lógicas desempenham um grande papel na maioria dos mercados com tendência altista, e, neste caso, não é diferente: as ações de tecnologia superarão todas as outras ações devido à excelência das empresas. Um número maior de empresas de tecnologia será acrescentado aos índices de ações, refletindo sua crescente importância na economia. Isso obrigará os fundos de índice e os *closet indexers*,[18] que emulam de forma encoberta os índices, a comprar mais ações dessas empresas; os investidores ativos também comprarão para acompanhar a tendência. Cada vez mais pessoas criarão planos de aposentadoria 401(k),[19] e os investidores desse planos aumentarão a representatividade das ações tecnológicas em suas carteiras, substituindo suas outras ações pelas ações de empresas de tecnologia. Por essas razões, as ações de tecnologia (a) continuarão subindo e (b) superarão as outras ações. Assim, atrairão ainda mais compras. O fato de todos esses fenômenos realmente terem ocorrido por certo período ofereceu credibilidade a essa teoria.

---

18. Algo como indexação de armário ou pseudoativo; é uma estratégia usada para descrever fundos que dizem comprar investimentos de forma ativa, mas acabam com um portfólio não muito diferente do *benchmark*. (N.T.)

19. Em inglês, *401(k) retirement plan*. É um fundo de pensão americano com benefícios tributários especiais. (N.T.)

O valor das ofertas públicas iniciais[20] de ações de tecnologia começou a aumentar dezenas e até centenas de pontos porcentuais no mesmo dia da emissão das ações, as quais assumiam uma aparência de vencedoras certas. O acesso aos IPOs tornou-se uma mania bastante popular.

Do ponto de vista psicológico, o que estava acontecendo com os IPOs é particularmente fascinante. Era algo mais ou menos assim: a pessoa ao seu lado no escritório fala de um IPO que está comprando. Você pergunta o que a empresa faz. Ela diz que não sabe, mas afirma que o corretor disse que o IPO dobrará de valor no dia de sua emissão. Então você diz que isso é ridículo. Uma semana depois, ela diz que as ações não dobraram, mas triplicaram. E ela ainda não sabe o que a empresa faz. Depois de testemunhar alguns IPOs similares, fica difícil resistir. Você sabe que não faz sentido, mas quer se proteger contra a sensação de parecer um idiota. Então, em um exemplo primordial de capitulação, você compra algumas centenas de ações do próximo IPO... e o combustível da fogueira aumenta ainda mais com a compra realizada por novos convertidos como você.

Os fundos de *venture capital* que haviam investido em *startups* de bastante êxito atraíram grande atenção e capital. No ano em que o Google entrou na bolsa, o fundo que o financiou valorizou 350% com base apenas nesse êxito.

Os investidores de ações de tecnologia foram elogiados pela mídia por seu brilhantismo. Os menos restringidos, pela experiência e pelo ceticismo — e, portanto, que estavam ganhando mais dinheiro —, eram investidores na casa dos 30 anos e até mesmo na casa dos 20 anos. Ninguém nunca havia dito a eles que talvez estivessem se beneficiando de um mercado irracional e não de sua incrível astúcia.

Vocês se lembram de meu comentário: todas as bolhas começam com um mínimo de verdade? No cenário que descrevi, a semente da verdade estava no verdadeiro potencial da tecnologia. O fertilizante veio das racionalizações dos participantes desses mercados altistas. E o excesso de energia veio da valorização dos preços, que parecia não ter mais fim.

É claro que todo o furor em relação às ações de tecnologia, *e-commerce* e telecomunicações decorre do potencial que essas empresas têm para mudar o mundo. Não tenho nenhuma dúvida de que esses movimentos estão revolucionando a vida

---

20. Em inglês, *Initial Public Offering* (IPO). É a venda de ações em uma oferta pública que, em geral, é feita em uma bolsa de valores. (N.T.)

como a conhecemos ou que, em alguns poucos anos, tornarão o mundo quase irreconhecível. O desafio está em descobrir quem serão os vencedores e qual é o verdadeiro valor atual deles...

Sublinhar que as ações de tecnologia, da internet e das telecomunicações estão muito altas e, dessa forma, prestes a declinar é como querer ficar parado em frente a um trem de carga. Dizer que elas se beneficiaram de um *boom* de proporções colossais e que devem ser examinadas com ceticismo é algo que me sinto obrigado a dizer-lhes.

"BUBBLE.COM" (BOLHA.COM), 3 DE JANEIRO DE 2000

Logo após a publicação do memorando de janeiro de 2000, as ações de tecnologia começaram a entrar em colapso por seu próprio peso, mesmo na ausência de qualquer evento único que causasse esse movimento. De repente, ficou claro que os preços das ações tinham ido longe demais e deveriam ser corrigidos. Quando um investimento da moda vai mal, *The Wall Street Journal* costuma lançar uma tabela com as perdas resultantes, mostrando ações representativas com queda de 90% ou mais. Quando a bolha tecnológica estourou, no entanto, a tabela apresentada mostrava perdas superiores a 99%. Todos os índices amplos testemunharam seu primeiro declínio de três anos desde a Grande Depressão, e as ações de tecnologia — e as ações em geral — acabaram perdendo seu encanto especial.

Quando olhamos para o passado, para a primeira década do século 21, vemos que os desenvolvimentos tecnológicos mudaram o mundo, que as empresas vencedoras são extremamente valiosas e que mídias como jornais e CDs foram profundamente afetadas. Mas é igualmente óbvio que os investidores permitiram que seu bom senso fosse anulado durante a bolha. Eles ignoraram o fato de que nem todas as empresas sairiam vencedoras, que haveria um longo período de *shake-out* (declínio do valor dos ativos), que não haveria rentabilidade fácil pela prestação de serviços gratuitos e que as ações de empresas que perdiam dinheiro, avaliadas em altos múltiplos de vendas[21] (uma vez que não havia lucros), traziam grande perigo.

A ganância, a excitação, a falta de lógica, o descrédito da realidade e a ignorância sobre o valor das coisas custaram a perda de muito dinheiro às pessoas que participaram da bolha tecnológica. E, a propósito, muitos investidores de

---

21. O múltiplo de vendas ou preço/vendas é um instrumento de avaliação de empresas, obtido pela divisão do valor de mercado da empresa pelo seu faturamento com vendas. (N.R.T.)

valor, brilhantes e disciplinados, foram vistos como burros nos meses e anos anteriores ao estouro da bolha, que, é claro, acabou ocorrendo.

Para evitar perder dinheiro em bolhas, é importante não entrar no jogo quando a ganância e o erro humano fazem os pontos positivos serem superestimados, e os negativos, ignorados. Isso não é fácil; poucos conseguem se abster. Da mesma forma, é essencial que investidores evitem vender — de preferência, devem comprar — quando o medo se torna excessivo durante uma crise. (Isso me lembra que devo salientar que as bolhas são capazes de surgir por conta própria e que não precisam ser precedidas por crises, enquanto as crises são invariavelmente precedidas por bolhas.)

Por mais difícil que, para a maioria das pessoas, tenha sido resistir a comprar na bolha tecnológica, foi ainda mais difícil deixar de vender — e ainda mais difícil comprar — durante as profundezas da crise de crédito. Na pior das hipóteses, não comprar em um mercado com tendência altista faz com que outros nos vejam como investidores lentos que sofrem com os custos de oportunidade. Na crise de 2008, entretanto, a desvantagem de não vender parecia ser a perda ilimitada. O apocalipse parecia possível.

O que, enfim, deve-se fazer com esses impulsos psicológicos que nos levam a realizar tolices? Um investidor precisa aprender a vê-los como são; esse é o primeiro passo para ter coragem e resistir. Deve ser realista. Os investidores que acreditam ser imunes às forças descritas neste capítulo o fazem por sua conta e risco. Se essas forças conseguem influenciar os outros a ponto de movimentar mercados inteiros, por que não seriam capazes de afetá-lo também? Se um mercado com tendência altista é tão poderoso que tem o potencial de fazer um adulto ignorar as avaliações excessivamente elevadas e negar a impossibilidade da máquina de movimento perpétuo, por que não teria a mesma influência sobre você? Se uma história de terror de perdas ilimitadas é suficientemente poderosa para obrigar outros a vender a preço de banana, o que impediria que isso também o atingisse?

Acreditem, não é difícil resistir à tentação de comprar em um mercado otimista (e mais difícil ainda vender) quando todos os outros estão comprando, os especialistas estão otimistas, a racionalização é aceita por todos, os preços estão subindo e aqueles que mais arriscam estão obtendo retornos gigantescos. Da mesma forma, é difícil resistir à tentação de vender (e mais difícil à tentação de comprar) quando o oposto é verdadeiro e nos parece que manter uma posição ou comprar implicaria risco de perda total.

Como tantas outras coisas descritas neste livro, não há uma solução simples: não há fórmula que nos diga quando o mercado se encontra em uma extremidade irracional, não há ferramenta infalível que nos mantenha do lado certo dessas decisões, não há pílula mágica que nos proteja das emoções destrutivas. Conforme diz Charlie Munger, "não é para ser fácil".

De que armas você dispõe para aumentar suas chances de êxito? Estas são as que funcionam para a Oaktree:

- uma boa percepção sobre o valor intrínseco dos ativos;
- insistência em agir da forma correta quando o preço diverge do valor;
- bom conhecimento dos ciclos passados — primeiro, por meio da leitura e de conversas com os investidores veteranos e, posteriormente, pela experiência — para saber que os excessos do mercado são, enfim, punidos, não recompensados;
- uma compreensão completa do efeito insidioso da psicologia sobre o processo de investimento nas extremidades do mercado;
- uma promessa de nos lembrarmos de que, quando as coisas parecem "boas demais para ser verdade", geralmente são mesmo;
- disposição para parecermos errados quando o mercado passa de preços errados para preços mais errados ainda (algo que, invariavelmente, ocorrerá); e
- cercar-se de amigos e colegas que tenham o mesmo pensamento e possam nos oferecer apoio (e a quem também possamos apoiar).

Embora não possamos garantir que essas armas nos levem ao êxito, sabemos que, ao menos, nos dão uma chance de lutar.

11

O mais importante é...
o ponto de vista contrário

Precisa-se de muita coragem para comprar quando os outros estão vendendo de forma melancólica e vender quando outros estão comprando com euforia; isso, entretanto, é o que proporciona os maiores lucros.

John Templeton

Há uma única maneira de descrever a maioria dos investidores: *seguidores de tendência*. Os bons investidores são exatamente o oposto. O bom investimento, como espero ter conseguido convencer os leitores, requer um pensamento de segundo nível, isto é, uma maneira de pensar diferente daquela dos outros, mais complexa e mais perspicaz. Por definição, a multidão não compartilha desse tipo de pensamento. Assim, os juízos feitos por ela não constituem princípios que nos levam ao êxito. Em vez disso, a tendência, a visão de consenso, é algo a ser combatido; devemos divergir da carteira construída pelo consenso. Na mesma proporção em que o pêndulo oscila ou o mercado passa por seus ciclos, o êxito depende de fazermos o oposto.

Este é o cerne do conselho tantas vezes citado de Warren Buffett: "Quanto menor a prudência com a qual os outros conduzem seus negócios, maior deve ser a prudência com a qual devemos conduzir os nossos próprios negócios". Ele está nos estimulando a fazer o oposto do que os outros fazem: ter o ponto de vista contrário.

Fazer a mesma coisa que os outros fazem nos expõe a flutuações que, em parte, são aumentadas pelas ações dos outros e pelas nossas. É certamente algo indesejável fazer parte do rebanho quando ele debanda em direção ao penhasco, mas, para evitar isso, é preciso ter habilidade, percepção e disciplina raras.

"The realist's creed" (O credo realista), 31 de maio de 2002

A lógica do erro da multidão é clara e quase matemática:

- os mercados oscilam dramaticamente, do mercado com tendência altista para o baixista e de sobreprecificado para subprecificado;
- seus movimentos são guiados pelas ações da "multidão", do "rebanho" ou da "maioria das pessoas"; os mercados altistas ocorrem porque mais pessoas querem comprar do que vender ou os compradores estão mais motivados do que os vendedores; o mercado sobe à medida que investidores deixam de ser vendedores e passam a ser compradores, e à medida que os compradores ficam ainda mais motivados, e os vendedores, menos (o mercado não estaria em ascensão se não fosse dominado pelos compradores);
- as extremidades do mercado representam pontos de inflexão; isso ocorre quando a alta ou a baixa atingem seu ponto máximo (De modo figurativo, há um ponto máximo quando a última pessoa que se tornará compradora o faz. Já que todos os compradores já se juntaram ao rebanho altista no momento em que o mercado chega ao ponto máximo, a tendência altista não tem como seguir aumentando e o mercado se encontra no ponto de maior alta possível. Comprar ou manter-se nessa posição é perigoso.);
- como não sobrou mais ninguém para manter a alta, o mercado para de subir; e se, no dia seguinte, apenas uma pessoa deixar de ser compradora e passar a ser vendedora, o mercado começa a cair;
- então, nas extremidades, que são criadas pelo que "a maioria das pessoas" acredita, a maioria das pessoas está errada;
- portanto, a chave para obter êxito em investimentos só pode estar no oposto, isto é, divergir da multidão — os que conseguem reconhecer os erros dos outros podem lucrar muito utilizando o ponto de vista contrário.

De tempos em tempos, vemos compradores furiosos ou vendedores aterrorizados; urgência para entrar ou sair; mercados superaquecidos ou mercados gelados; e preços insustentavelmente altos ou ridiculamente baixos. Certamente, tanto os mercados quanto as atitudes e posturas dos investidores passam apenas uma pequena parte de seu tempo no "bom meio-termo".

O que isso diz sobre como devemos agir? Juntarmo-nos ao rebanho e participar dos extremos desses ciclos pode obviamente ser perigoso para a nossa saúde financeira. As extremidades máximas dos mercados são criadas quando os compradores ávidos estão no controle, elevando os preços para patamares que talvez nunca mais sejam novamente vistos. As baixas são criadas quando os vendedores, em pânico, são maioria e estão dispostos a se desfazer de ativos a preços que muitas vezes acabam sendo demasiadamente baixos.

"Comprar barato; vender caro" é o ditado tradicional, mas quem é carregado pelos ciclos do mercado costuma fazer exatamente o oposto. A resposta adequada está no comportamento com base no ponto de vista contrário: comprar quando os outros odeiam os ativos e vender quando eles os adoram. Esses raros eventos extremos do mercado parecem ocorrer uma vez a cada década ou mais, isto é, não costumam ocorrer de forma suficientemente corriqueira para que algum investidor baseie sua vida de investimentos unicamente neles. Mas tentar capitalizar sobre esses eventos é um componente importante da abordagem de todo investidor.

Não pense, contudo, que é fácil. O investidor precisa ser capaz de detectar casos em que os preços divergem significativamente do valor intrínseco. O investidor deve ter estômago forte para desafiar a sabedoria popular (um dos maiores oximoros) e resistir ao mito de que o mercado é sempre eficiente e, portanto, está sempre certo. O investidor precisa ter experiência e nela basear um comportamento resoluto. O investidor deve ter o apoio de um grupo de pessoas compreensivas e pacientes. Se não tiver tempo suficiente para manter-se firme nas extremidades do ciclo enquanto espera a razão voltar a prevalecer, o investidor se tornará a mais típica das vítimas do mercado: a pessoa de 1,80 metro de altura que se afogou cruzando o córrego que, em média, tinha 1,50 metro de profundidade. Mas, se estiver alerta para a oscilação pendular dos mercados, é possível que consiga reconhecer as oportunidades que ocasionalmente surgem para ser colhidas.

"The happy medium" (O bom meio-termo), 21 de julho de 2004

~

Aceitar o conceito amplo do ponto de vista contrário é uma coisa; colocá-lo em prática é outra. Por um lado, nunca sabemos qual será o ponto de oscilação máxima do pêndulo, quando ele vai reverter seu movimento e até que ponto ele seguirá na direção oposta.

Por outro lado, podemos ter certeza de que, uma vez que atinja uma posição máxima, o mercado eventualmente voltará para o ponto médio (ou além). Os investidores que acreditavam que o pêndulo continuaria em uma direção para sempre — ou, tendo atingido uma extremidade, permaneceria lá — estão inevitavelmente decepcionados.

E, por fim, em virtude da variabilidade dos muitos fatores que influenciam os mercados, não há nenhuma ferramenta — nem mesmo o ponto de vista contrário — em que se possa confiar inteiramente.

- O ponto de vista contrário não é uma abordagem que nos fará ganhar dinheiro o tempo todo. Na maioria das vezes, não ocorrem grandes excessos no mercado para que possamos apostar contra.
- Mesmo quando há um excesso, devemos nos lembrar de que "sobreprecificado" é totalmente diferente de "amanhã seu preço cairá".
- Os mercados podem estar sobreprecificados ou subprecificados e manter-se assim — ou continuar nessa progressão — por anos.
- É extremamente doloroso quando a tendência caminha em direção oposta à nossa.
- Pode até parecer que "todos" chegaram à conclusão de que o rebanho está errado. O que quero dizer é que o ponto de vista contrário em si pode parecer ter se tornado muito popular e, assim, acabar sendo confundido com o comportamento de rebanho.
- Por fim, não basta apostar contra a multidão. Em consequência das dificuldades associadas ao ponto de vista contrário que acabei de citar, o reconhecimento das divergências do pensamento consensual — com possibilidade de gerar lucros — deve ter como base a razão e a análise. Não devemos tomar algumas atitudes só porque elas são opostas às atitudes da multidão, mas porque sabemos o motivo pelo qual a multidão está errada. Só então seremos capazes de manter nossos pontos de vista de maneira firme e talvez continuar comprando, mesmo que nossas posições pareçam erros e, em vez de ganhos, se acumulem perdas.

As dotações da Yale University são dirigidas por David Swensen. O desempenho desse fundo tem sido excelente e, nas últimas décadas, Swensen foi a pessoa que causou maior impacto no mundo dos investimentos em dotações. Sua abordagem, que era altamente incomum quando Yale começou a implementá-la na década de 1980, tornou-se a forma-padrão desse tipo de investimento. Swensen tem uma bela maneira de descrever as dificuldades associadas ao ponto de vista contrário.

O êxito em investimentos exige a manutenção de posicionamentos desconfortáveis por serem diferentes da opinião popular. Os compromissos fortuitos abrem o caminho para reversões fortuitas, expondo os gestores de carteiras ao ciclo prejudicial do comprar caro e vender barato. Somente a confiança criada por um forte processo de tomada de decisão permite que os investidores vendam por preço de excesso especulativo e comprem valor ao preço do desespero.

(...) Estratégias de gestão ativa exigem que as instituições se comportem de forma não institucional, criando um paradoxo que poucos são capazes de resolver. Estabelecer e manter um perfil de investimento não convencional requer a aceitação de carteiras desconfortavelmente peculiares, que, aos olhos da sabedoria convencional, costumam parecer extremamente imprudentes.

PIONEERING PORTFOLIO MANAGEMENT, 2000[22]

As ações de investimento mais rentáveis são, por definição, as encontradas pelo ponto de vista contrário: um investidor está comprando enquanto todos os outros estão vendendo (e, por isso, o preço está baixo) ou um investidor está vendendo enquanto todos os outros estão comprando (e o preço está alto). Essas são ações solitárias e, como diz Swensen, desconfortáveis. Como podemos saber que a ação confortável é a do consenso? Sabemos disso quando a maioria das pessoas está realizando a mesma ação.

≈

O que eu acho mais interessante no universo dos investimentos é o quão paradoxal ele é: quantas vezes as coisas óbvias — nas quais todos concordam — acabam não sendo verdadeiras.

Não estou dizendo que a sabedoria popular sobre investimentos algumas vezes é válida e outras vezes não. A realidade é mais simples e muito mais sistemática: a maioria das pessoas não entende o processo por meio do qual um ativo passa a ter a possibilidade de gerar grandes rendimentos.

Aquilo que parece óbvio para o consenso dos investidores está quase sempre errado. A própria generalização da opinião popular sobre um investimento tende a eliminar suas possibilidades de lucro (...). Tomemos, por exemplo, aquele investimento que "todos" acreditam ser uma ótima ideia. Em minha opinião, por definição, isso simplesmente não pode ser assim.

- Se todos gostam, provavelmente é porque o ativo vem dando bons resultados. A maioria das pessoas parece pensar que um ótimo desempenho até

---

22. D. F. Swensen. *Pioneering portfolio management: an unconventional approach to institutional investment*. New York: Free Press, 2000. (N.T.)

o momento é garantia de que o mesmo aconteça no futuro. Na verdade, é mais provável que o ótimo desempenho até o momento tenha sido tomado emprestado do futuro e, portanto, é o presságio de um desempenho abaixo da média a partir de agora.

- Se todos gostam, é provável que, como reflexo dessa adulação, o preço tenha atingido um patamar no qual só se poderá ganhar apenas um aumento relativamente pequeno. (É claro que é possível que algo passe de "sobrevalorizado" para "mais sobrevalorizado ainda", mas eu não contaria com esse acontecimento);
- Se todos gostam, é provável que a área já tenha sido tão explorada — contando com um enorme fluxo de capital — que não restem mais pechinchas.
- Se todos gostam, há um risco significativo de que os preços caiam no momento em que a mente coletiva da multidão mudar de ideia e resolver buscar a saída.

Os bons investidores sabem — e compram — quando o preço de algo é menor do que deveria ser. E o preço de um investimento é menor do que deveria ser apenas quando a maioria das pessoas não enxerga o seu mérito. Há uma frase famosa de Yogi Berra: "ninguém vai mais naquele restaurante; está muito lotado". É tão absurdo como dizer: "todos viram que o investimento é uma pechincha". Se todos viram, eles comprarão e, nesse caso, o preço não permanecerá baixo...

Não há como obter lucros gigantescos quando compramos o que agrada a todos. Eles são obtidos quando compramos ativos subestimados por todos...

Em suma, há dois elementos primários para realizar grandes investimentos:

- enxergar alguma qualidade que os outros não enxergam ou não apreciam (e isso é algo que não se reflete no preço); e
- essa qualidade ser verdadeira (ou pelo menos aceita pelo mercado).

Pelo primeiro elemento, deveria estar claro que o processo precisa ter início com investidores que sejam extraordinariamente perceptivos, não convencionais, iconoclastas ou precoces. É por isso que, segundo dizem, os bem-sucedidos passam grande parte de seu tempo sozinhos.

"Everyone knows" (Todo mundo sabe), 26 de abril de 2007

A crise de crédito mundial de 2007-2008 representa a maior que já testemunhei. As lições a serem aprendidas por essa experiência são muitas, razão pela qual discuto aspectos dela em mais de um capítulo. Para mim, uma dessas lições foi ter ganhado uma nova compreensão sobre o ceticismo necessário para ser capaz de raciocinar por meio de um ponto de vista contrário. Geralmente não sou dado a epifanias, mas tive uma sobre a questão do ceticismo.

Toda vez que uma bolha estoura, um mercado altista entra em colapso ou uma bala de prata não funciona, ouvimos as pessoas lamentarem seu erro. O cético, extremamente consciente disso, tenta identificar as ilusões antes do tempo e evita aceitá-las ou alinhar-se com a multidão. Assim, geralmente, o ceticismo em relação aos investimentos está associado à rejeição de modismos, às manias dos mercados com tendência de alta e aos esquemas Ponzi, ou pirâmides financeiras. Minha epifania ocorreu em meados de outubro de 2008, próximo do ponto mais baixo da crise de crédito mundial. Naquele momento estávamos vendo e ouvindo coisas que nunca imaginávamos possíveis:

- o fim ou resgate das empresas Lehman Brothers, Bear Stearns, Freddie Mac, Fannie Mae e AIG;
- preocupação com a viabilidade das empresas Goldman Sachs e Morgan Stanley e enormes declínios em suas ações;
- aumento dos preços dos *credit default swaps* (CDS) sobre os títulos do tesouro dos Estados Unidos;
- taxas das letras do tesouro a curto prazo próximas de zero, causado pela busca de segurança; e
- a consciência (pela primeira vez, acredito) de que os recursos financeiros do governo dos Estados Unidos são finitos e de que há limites em sua capacidade de produzir dinheiro e resolver todos os problemas.

Imediatamente após a falência do Lehman Brothers, parecia bastante claro que (...) a situação sairia do controle e ninguém seria capaz de prever como nem quando tudo terminaria. Esse era o verdadeiro problema: todos os cenários negativos eram vistos como possíveis; e qualquer cenário que incorporasse um pouco de otimismo era descartado como uma ingenuidade polianesca.

É claro que havia nisso tudo um grão de verdade: nada era impossível. Mas, ao lidar com o futuro, devemos pensar em duas coisas: (a) quais eventos podem acontecer e (b) qual a probabilidade de que esses eventos aconteçam.

Durante a crise, muitas coisas ruins pareciam possíveis, o que não significa que elas realmente ocorreriam. Em tempos de crise, as pessoas não fazem essa distinção...

Por quarenta anos eu testemunhei as loucas oscilações do pêndulo maníaco-depressivo da psicologia dos investidores: agitando-se entre o medo e a ganância — todos nós conhecemos o refrão —, mas também entre o otimismo e o pessimismo e entre a credulidade e o ceticismo. Em geral, seguir as crenças do rebanho e oscilar com o pêndulo resultará em rendimentos médios a longo prazo e a possibilidade de acabarmos arruinados nas extremidades da oscilação...

Quando começarmos a acreditar na história em que todos acreditam, faremos o que os outros fazem. Compraremos ativos na alta de preços e os venderemos na baixa. Cairemos no conto da "bala de prata", isto é, acreditaremos em uma estratégia capaz de entregar altos retornos sem nenhum risco. Compraremos os ativos que vão bem e venderemos os que vão mal. Perderemos nos momentos de crise e não conseguiremos entrar no mercado quando este começar a se recuperar. Em outras palavras, seremos conformistas e não dissidentes; seguidores e não alguém com ponto de vista contrário.

Precisamos ser céticos quando analisamos um balanço patrimonial, ou o último milagre da engenharia financeira, ou aquela história do investimento imperdível... Somente o cético é capaz de separar as coisas que soam bem e são boas das coisas que soam bem e não são boas. Os melhores investidores que conheço são exemplos dessa característica. Trata-se de uma necessidade absoluta.

Para dar início à crise de crédito, aconteceram muitas coisas ruins que eram consideradas improváveis (e até mesmo impossíveis) — e aconteceram todas ao mesmo tempo — por investidores que estavam significativamente alavancados. Assim, a explicação fácil é que os afetados pela crise de crédito não foram suficientemente céticos — ou pessimistas.

Isso, entretanto, desencadeou a epifania: *ceticismo e pessimismo não são sinônimos*. O ceticismo é pessimista quando há excesso de otimismo. Por outro lado, o ceticismo é otimista quando há excesso de pessimismo.

Na semana passada, assim que a crise de crédito atingiu seu pico, encontrei poucos otimistas; a maioria estava, em maior ou menor grau, pessimista. Nenhuma das pessoas foi cética nem disse que aquela história de terror não parecia ser verdadeira. Havia apenas uma única coisa que ninguém estava realizando na semana passada, a saber, ofertas de compras agressivas por ativos. Assim, os preços despencaram vários pontos-base de uma só vez.

A solução — como de costume — era ter sido cético sobre o que "todo mundo" estava dizendo e fazendo. A história negativa pode ter parecido convincente, mas é a história positiva (em que poucos acreditaram) que detinha, e ainda detém, o maior potencial de lucro.

"THE LIMITS TO NEGATIVISM" (OS LIMITES DO NEGATIVISMO), 15 DE OUTUBRO DE 2008

O erro está claro. O rebanho é otimista nas altas e pessimista nas baixas. Assim, para obter vantagens, devemos ser céticos acerca do otimismo que prospera durante as altas do mercado e céticos quanto ao pessimismo que prevalece durante as baixas.

"Touchstones" (Critérios), 10 de novembro de 2009

Em geral, imagina-se que ceticismo significa dizer "não, isso é bom demais para ser verdade" nos momentos certos. Porém, em 2008 — e, em retrospectiva, agora parece tão óbvio —, eu percebi que às vezes o ceticismo pede que digamos: "não, isso é muito *ruim* para ser verdade".

A maioria das compras de títulos de dívida de empresas em dificuldades[23] realizadas no quarto trimestre de 2008 rendeu retornos de 50% a 100% ou mais nos dezoito meses seguintes. Comprar era extremamente difícil sob essas circunstâncias difíceis, mas ficou mais fácil quando percebemos que quase ninguém estava dizendo "não, as coisas não podem estar tão mal assim". Naquele momento, ser otimista e comprar foi a expressão mais elevada do ponto de vista contrário.

~

Há certos temas comuns que se repetem nos melhores investimentos que testemunhei. Eles costumam seguir um ponto de vista contrário, são desafiadores e desconfortáveis — mesmo que o investidor mais experiente saiba que está bem em sua posição longe do rebanho. Sempre que o mercado de dívidas entra em colapso, por exemplo, a maioria das pessoas diz que é imprudente tentar pegar uma faca em plena queda, pois isso é algo muito perigoso, e costuma arrematar o pensamento dizendo que se deve esperar a poeira baixar e a incerteza ser resolvida. O que essa maioria quer dizer, claramente, é que está assustada e insegura em relação ao próximo passo.

A única coisa de que tenho certeza é que, quando a faca parar de cair, a poeira baixar e a incerteza tiver sido resolvida, não haverá mais nenhuma grande pechincha. Sempre que uma compra se torna novamente confortável, isso significa que seu preço já não está tão baixo a ponto de podermos chamá-la de uma grande barganha. Assim, um investimento extremamente rentável que não comece com algum desconforto costuma ser um paradoxismo.

---

23. Em inglês, *distresses debt.* (N.T.)

É nosso trabalho, como investidores com ponto de vista contrário, pegar as facas que estão caindo, com cuidado e habilidade. É por isso que o conceito de valor intrínseco é tão importante. Se tivermos uma opinião relativa ao valor que nos permita comprar quando todos os outros estiverem vendendo e se nossa opinião estiver correta, esse será o melhor caminho para obter grandes recompensas com o menor risco.

12

O mais importante é...
encontrar pechinchas

As melhores oportunidades são geralmente encontradas
naquilo que a maioria das outras pessoas não faz.

O processo de construção inteligente de um portfólio consiste em comprar os melhores investimentos, dando-lhes espaço vendendo ativos que não são muito bons, e ficando longe dos piores. As matérias-primas do processo consistem em (a) uma lista de potenciais investimentos; (b) estimativas de seu valor intrínseco; (c) alguma percepção sobre como comparar seus preços ao seu valor intrínseco; e (d) uma compreensão sobre os riscos envolvidos em cada um dos investimentos e sobre o efeito que sua inclusão causaria na carteira a ser montada.

O primeiro passo é geralmente garantir que os ativos que estão sendo considerados satisfaçam alguns padrões absolutos. Talvez nunca se ouça de investidores sofisticados algo como "se estiver suficientemente barato, compro qualquer coisa". O que costumam fazer de forma mais frequente é criar uma lista de candidatos a investimentos que atendam a seus critérios mínimos e, dos ativos listados, escolher as melhores pechinchas. É disso que se trata este capítulo.

Por exemplo, um investidor pode começar reduzindo a lista de possibilidades para os ativos cujo risco esteja dentro de certos limites aceitáveis, pois alguns deles não se sentem confortáveis com alguns tipos de risco; exemplos abrangem o risco de obsolescência de um segmento tecnológico que se mova muito rapidamente e o risco de que um produto de consumo da moda perca sua popularidade. Outros investidores têm tendência a considerar que alguns assuntos não fazem parte do universo de seus conhecimentos especializados. E outros ainda demonstrarão inclinação a não aceitar, absolutamente, algumas empresas, seja porque o ramo de negócios do qual participam é muito

imprevisível, seja porque suas demonstrações financeiras não são suficientemente transparentes.

É completamente razoável querer priorizar ativos que se enquadrem em
uma determinada parcela do espectro de risco. É possível que, por um lado,
os ativos considerados extremamente seguros pelo mercado ofereçam rendimentos desinteressantes e, por outro lado, os que se encontram no extremo
oposto ultrapassem a tolerância ao risco dos investidores. Em outras palavras,
é razoavelmente possível que existam ativos que investidores não aceitem, independentemente do preço.

Não só pode haver riscos que os investidores não queiram assumir como
também que seus clientes não queiram que eles assumam. Especialmente no
mundo institucional, raramente se diz aos gestores "aqui está o meu dinheiro,
faça o que quiser com ele". O trabalho do gestor de capitais não é apenas realizar investimentos com potencial de lucro, mas também entregar aos clientes
o que eles querem, uma vez que a maioria dos investidores institucionais
é contratada para realizar atribuições específicas em termos de classes de
ativos e estilos de investimento. Se o cliente deseja um tipo de investimento,
há pouco que ganhar em outros, independentemente de sua atratividade.
Por exemplo, se o cliente quer um gestor com *expertise* em ações de alta
qualidade e capitalização, correrá risco comercial se investir em *startups* de
alta tecnologia.

Desse modo, é improvável que o ponto de partida para a construção de
uma carteira tenha um universo ilimitado de investimentos como base. Alguns investimentos são vistos como candidatos realistas a serem incluídos na
carteira, outros, não.

～

Assim, após definido o "conjunto viável", o próximo passo é selecionar
em quais deles investir. Isso é feito identificando aqueles que oferecem a
melhor relação entre rendimentos potenciais e risco, ou os que oferecem
maior valor para o dinheiro. Isso é o que Sid Cottle, editor do livro *Security
analysis*, de Graham e Dodd, quis dizer quando me falou que, em sua opinião,
"investir é a disciplina da seleção relativa". Essa frase tem me acompanhado
por 35 anos.

Embora simples, a frase de Sid incorpora duas mensagens importantes.
Primeiro, o processo de investimento tem de ser rigoroso e disciplinado.
Segundo, ele é necessariamente comparativo. Mesmo que os preços estejam

baixos ou altos e, portanto, que os retornos prospectivos sejam altos ou baixos, precisamos encontrar os melhores investimentos possíveis. E, já que não podemos mudar o mercado, se quisermos participar, nossa opção é selecionar os melhores investimentos dentre as possibilidades existentes. Essas são decisões relativas.

~

O que faz com que um ativo seja o excelente investimento que procuramos? Conforme mencionei no capítulo 4, trata-se, em grande medida, de uma questão de preço. Nosso objetivo não é encontrar bons ativos, mas boas compras. Desse modo, não se trata do que compramos; trata-se do quanto pagamos pela compra. Um ativo de alta qualidade pode ser uma compra boa ou ruim; um ativo de baixa qualidade também. A tendência de confundir o mérito objetivo e a oportunidade de investimento, bem como a falha em conseguir distinguir entre os bons ativos e as boas compras, coloca a maioria dos investidores em apuros.

Uma vez que buscamos boas compras, meu principal objetivo neste capítulo é explicar o que torna uma compra boa. Em geral, isso significa que o preço está baixo em relação ao valor e que o rendimento potencial está alto em relação ao risco. De que forma as pechinchas se tornam o que são?

No capítulo 10, usei a mania por ações de tecnologia como exemplo de um processo confiável por meio do qual uma boa ideia sobre os fundamentos pode se transformar em uma bolha sobreprecificada. Em geral, tudo começa com um ativo claramente atraente. À medida que a opinião dos investidores sobre o ativo melhora, mais querem comprá-lo. Isso faz com que o capital flua para ele e seu preço suba. As pessoas tomam o aumento do preço como um sinal de mérito do investimento e, então, compram ainda mais. Outras ouvem sobre ele pela primeira vez e também resolvem comprar; assim, a tendência ascendente assume a aparência de um ciclo virtuoso sem fim. É, em suma, um concurso de popularidade em que o ativo em questão é o vencedor.

Quando continuam por tempo satisfatório e ganham força suficiente, os investimentos da moda se transformam em bolhas. E bolhas podem oferecer aos investidores sensatos muitas oportunidades para vender e para vender a descoberto.

O processo pelo qual se criam pechinchas é, em grande medida, o oposto. Assim, para encontrá-las, é necessário entender o que faz um ativo se tornar preterido. Isso não ocorre necessariamente como resultado de um processo analítico. Na verdade, grande parte do processo é antianalítico, o que significa que é importante pensar sobre as forças psicológicas por trás dele e sobre as suas mudanças de popularidade.

Então, o que torna o preço baixo em relação ao valor e o retorno alto em relação ao risco? Em outras palavras, o que faz o preço de venda de um ativo ser menor do que deveria ser?

- Ao contrário de ativos que se tornam objeto de manias, as possíveis pechinchas costumam apresentar algum defeito objetivo. É possível que uma classe de ativos possua fraquezas, por exemplo, uma empresa pode apresentar defasagem em relação ao seu próprio setor, um balanço patrimonial pode estar excessivamente alavancado, ou, talvez, um ativo ofereça proteção estrutural inadequada aos seus detentores.
- Uma vez que o processo de fixação de preços justos do mercado eficiente requer o envolvimento de pessoas analíticas e objetivas, as pechinchas, em geral, fundamentam-se na irracionalidade ou em alguma compreensão incompleta. Por isso, as pechinchas costumam ser criadas quando os investidores não consideram um ativo de forma justa, ou deixam de examinar aspectos mais profundos para entendê-lo de maneira completa, ou não conseguem superar alguma tradição, viés ou restrição não baseada em valor.
- Ao contrário dos queridinhos do mercado, o ativo órfão é ignorado ou desprezado. Quando é mencionado pela mídia e nos coquetéis, isso é feito em termos pouco lisonjeiros.
- Geralmente seu preço vem caindo, fazendo o pensador de primeiro nível se perguntar: quem compraria esse tipo de ativo? (É preciso reiterar que a maioria dos investidores extrapola os resultados históricos para o futuro esperando que as tendências se mantenham contínuas, em vez de levar em consideração algo muito mais confiável, isto é, a *regressão para a média*. Os pensadores de primeiro nível tendem a ver a fragilidade dos preços históricos como algo preocupante, não como um sinal de que o ativo tenha ficado mais barato.)
- Como resultado, um ativo em pechincha tende a ser altamente impopular. O capital fica longe dele ou foge, e ninguém é capaz de imaginar uma única razão para comprá-lo.

Eis um exemplo de como as pechinchas podem ser criadas quando uma classe inteira de ativos sai de moda.

A história dos títulos (*bonds*) nos últimos sessenta anos é o espelho oposto do aumento da popularidade desfrutada pelas ações (*stocks*). Os títulos começaram a perder sua popularidade quando as ações passaram a monopolizar os holofotes nas décadas de 1950 e 1960 até que, no final de 1969, o informe semanal do First National City Bank com dados sobre títulos teve sua última publicação com a seguinte manchete: "A última edição", em fundo preto. Os títulos foram dizimados no ambiente de altas taxas de juros dos anos 70, e mesmo que as taxas de juros tenham sofrido constante diminuição durante as décadas de 1980 e 1990, os títulos não tinham fôlego para enfrentar os enormes lucros das ações.

Na segunda metade da década de 1990, qualquer investimento em títulos em vez de ações era visto como uma âncora que restringia a rentabilidade de qualquer carteira. Presidi o comitê de investimentos de uma instituição sem fins lucrativos e pude testemunhar uma organização-irmã de outra cidade (que sofria há anos com um *mix* de títulos e ações de 80% e 20%, respectivamente) passar a investir somente em ações. Imaginei um investidor institucional típico dizendo o seguinte:

> Uma pequena parte de nossos investimentos está alocada em renda fixa. Não sei dizer por quê. Trata-se de um acidente histórico. Meu antecessor criou isso, porém seus motivos ficaram perdidos no passado. Agora estamos revisando nossas participações em títulos com o objetivo de reduzi-las.

Embora o interesse pela compra de mais ações tenha permanecido baixo durante a década atual, aplicou-se pouco dinheiro nos títulos de alta qualidade creditícia. A queda contínua da popularidade dos títulos foi causada, entre outras coisas, pela decisão do FED de Greenspan[24] de manter as taxas de juros baixas para estimular a economia e combater choques exógenos (como o pânico do *bug* do milênio). Os títulos do tesouro dos Estados Unidos e os de alta qualidade creditícia rendiam entre 3% e 4%, por isso, não geravam muito interesse de investidores institucionais que buscavam obter rendimentos de 8%.

"HEMLINES"[25] (BARRA DAS SAIAS), 10 DE SETEMBRO DE 2010

---

24. Federal Reserve System, ou FED, é o banco central dos Estados Unidos, que, na época, era dirigido por Alan Greenspan. (N.T.)

25. Teoria da barra das saias (em inglês, *hemline theory*) "é a ideia de que os preços das ações acompanham o movimento geral do comprimento das saias femininas. As saias curtas nos anos 1920 e 1960 eram consideradas um sinal de que os preços das ações subiriam, enquanto os vestidos mais

Como o processo descrito anteriormente durou um período suficiente e os investidores reduziram suas participações, os títulos já estavam posicionados para obter rendimentos ótimos. Bastou uma mudança no ambiente, e foi gerado um aumento do anseio por segurança em relação ao potencial de lucro. E, como geralmente acontece depois que um ativo é valorizado por um tempo, os investidores, de repente, perceberam o atrativo dos títulos e notaram que não detinham uma quantidade aceitável desses títulos. Esse é um padrão que costuma gerar lucros para aqueles que descobrem isso antes dos outros.

~

Os ativos com preços razoáveis nunca são nosso objetivo, já que é razoável concluir que eles geram apenas retornos justos para o risco assumido. E, claro, os ativos sobreprecificados não nos fazem nenhum bem.

Nosso objetivo é encontrar ativos que estejam subprecificados. Onde devemos procurá-los?

Um bom lugar para começar é entre as coisas que:

- são pouco conhecidas e não totalmente compreendidas;
- são fundamentalmente questionáveis à primeira vista;
- são controversas, impróprias ou assustadoras;
- são consideradas inadequados para carteiras "respeitáveis";
- não são apreciadas, são impopulares e não são adoradas;
- possuem um histórico de retornos ruins; e
- recentemente tenham sido objeto de desinvestimento, não de acumulação.

Para resumir tudo em apenas uma frase, eu diria que a condição necessária para a existência de pechinchas é que a percepção seja consideravelmente pior do que a realidade. Isso significa que as melhores oportunidades são geralmente encontradas naquilo que a maioria das outras pessoas não faz. Afinal, quando todos se sentem bem com algo e estão felizes em participar, o preço, certamente, não será uma pechincha.

---

compridos dos anos 30 e 40 eram considerados indicadores de que o mercado tenderia à baixa".
Dicionário de termos financeiros e de investimentos. John Downes e Jordan Elliot Goodman (org.).
São Paulo: Nobel, 1993. (N.T.)

Em 1978, quando saí do segmento de pesquisa de renda variável (*equity research*) do Citibank e passei para a gestão de carteiras, tive a sorte de ser convidado para trabalhar com classes de ativos que atendiam a alguns ou a todos esses critérios. Meu primeiro trabalho foi em ativos conversíveis. Ainda era um mercado muito menor e mais subestimado do que o é atualmente. Já que esses ativos ofereciam aos investidores tanto as vantagens dos títulos quanto as das ações, eles eram emitidos apenas como último recurso por empresas fracas e sem alternativas, como conglomerados e companhias ferroviárias e aéreas. Os principais investidores achavam que esse mercado trazia complexidades desnecessárias; se as pessoas querem ativos com as características dos títulos e das ações ao mesmo tempo, podem questionar: "Por que não comprar alguns títulos e algumas ações? E se a empresa lhe agrada, por que não comprar as ações e receber seus rendimentos integrais, em vez de investir em um veículo híbrido e defensivo?". Bem, sempre que "todos" acreditam que algo não tem nenhum mérito, é razoável suspeitar que esse objeto não seja apreciado, que ninguém o queira e, portanto, que seu preço esteja possivelmente subestimado. É por isso que um artigo da *BusinessWeek*, de 1984, sobre mim trazia a seguinte frase: "Homens de verdade não compram ativos conversíveis, por isso medrosos como eu conseguem comprar barato".

Em 1978, me pediram para criar um fundo de títulos de alto rendimento. Esses títulos de baixa classificação, onerados com o apelido desagradável de *títulos especulativos* (ou, em tradução literal, *títulos podres*), ficavam aquém da exigência mínima da maioria das instituições de investimentos, isto é, não chegavam a ser avaliados com "grau de investimento ou melhor" ou nota "A ou melhor". Os títulos especulativos podem se tornar inadimplentes, então, como poderiam ser ativos apropriados para os fundos de pensão ou dotações de universidades? E se um fundo comprasse um título de uma empresa com grau especulativo (com risco de calote) e ela quebrasse, como os administradores poderiam escapar do constrangimento e da culpa por ter feito algo que, antecipadamente, sabiam ser arriscado? Uma boa pista para o potencial desses ativos poderia ser encontrada na descrição que uma agência de classificação oferece para os títulos com classificação de risco "B": "em geral, não possuem as características de um investimento desejável". Neste momento, o leitor deve estar se perguntando como alguém é capaz de reprovar toda uma possível classe de investimentos sem fazer qualquer referência ao preço. A história que se seguiu sobre esses títulos mostra que, (a) se ninguém possui algo, a demanda pelo objeto (e, portanto, o preço) só pode subir e, (b) ao deixar de ser tabu e tornar-se minimamente tolerado, pode oferecer um bom rendimento.

Finalmente, em 1987, meus sócios Bruce Karsh e Sheldon Stone vieram até mim com a brilhante ideia de criar um fundo para investir em títulos de dívida de empresas em dificuldades (*distressed debt*). O que poderia ser mais impróprio e menos respeitável do que investir em títulos de empresas falidas ou que estejam nesse caminho? Quem investiria em empresas que já demonstrassem sua falta de viabilidade financeira e a debilidade de sua gestão? Como alguém poderia investir de forma responsável em empresas em queda livre? Claro que, dada a forma como os investidores se comportam, qualquer ativo que seja considerado o pior em determinado momento tem uma boa probabilidade de ser o mais barato. Não há sinonímia necessária entre pechinchas e alta qualidade. Na verdade, as coisas tendem a ser mais baratas quando a baixa qualidade dos ativos afasta as pessoas.

Cada uma dessas classes de ativos satisfazia à maioria dos critérios listados anteriormente neste capítulo. Eram pouco conhecidas, não eram compreendidas nem respeitadas. Ninguém tinha algo bom para dizer sobre esses ativos. Todos os títulos eram exemplos de investimentos desconfortavelmente peculiares e imprudentes, concordando com o que dizia David Swensen (ver capítulo 11)... E, portanto, todos eles se transformaram em um ótimo lugar para estar pelos próximos vinte ou trinta anos. Espero que esses exemplos de grande escala lhe deem uma boa ideia de onde as pechinchas podem ser encontradas.

～

Uma vez que as pechinchas oferecem valor a preços injustificadamente baixos — e, portanto, razões incomuns entre retorno e risco —, pode-se dizer que representam o Santo Graal dos investidores. De acordo com os motivos especificados no capítulo 2, essas oportunidades não deveriam existir em um mercado eficiente. No entanto, tudo na minha experiência me diz que, embora as pechinchas não sejam a regra, as forças que deveriam eliminá-las muitas vezes não o fazem.

Somos investidores ativos porque acreditamos que podemos vencer o mercado, identificando as melhores oportunidades. Por outro lado, muitas das "oportunidades especiais" que nos oferecem são boas demais para serem verdadeiras, e evitá-las é essencial para se obter êxito nos investimentos. Assim, como acontece com tantas outras coisas, é preciso equilibrar o otimismo que leva alguém a se tornar um investidor ativo e o ceticismo que emerge da hipótese dos mercados eficientes.

É óbvio que os investidores podem cometer erros por alguma fraqueza psicológica, um erro analítico ou a recusa de pisar em solo desconhecido. Esses equívocos criam pechinchas para os pensadores de segundo nível, capazes de enxergar as falhas dos outros.

13

O mais importante é...
o oportunismo paciente

O mercado não é uma máquina muito acolhedora; ele não lhe oferecerá rendimentos altos só porque você precisa deles.

PETER BERNSTEIN

O ciclo de rápido crescimento e colapso associado à crise financeira global nos deu a chance de vender em níveis extremamente elevados no período entre 2005 e o início de 2007, e, em seguida, comprar a preços de pânico entre o final de 2007 e o ano de 2008. Esta foi, em muitos aspectos, a chance de uma vida. Os investidores com ponto de vista contrário que lutam para não ser engolidos pelos ciclos tiveram uma oportunidade de ouro para se distinguir. Entretanto, uma das coisas que quero destacar neste capítulo é a indicação de que nem sempre há muita coisa a se fazer; às vezes, nossa maior contribuição está em nos mantermos criteriosos e relativamente inativos. O oportunismo paciente — à espera de pechinchas — é muitas vezes nossa melhor estratégia.

Então, ofereço uma dica: teremos melhores resultados se esperarmos que os investimentos venham até nós em vez de irmos atrás deles. Há uma tendência de conseguirmos melhores compras quando nossa seleção é feita com base na lista de coisas que os vendedores estão dispostos a vender, em vez de começar com uma ideia fixa sobre o que queremos possuir. O oportunista compra coisas porque são oferecidas a preços de pechincha. Não há nada de especial em comprar quando os preços não estão baixos.

Na Oaktree, um de nossos lemas é "não buscamos nossos investimentos; eles nos encontram". Tentamos esperar. Nós não saímos com uma "lista de compras"; em vez disso, esperamos o telefone tocar. Se ligarmos para o dono e dissermos "você é dono de X e queremos comprar", o preço subirá. Porém, quando o proprietário nos ligar e disser: "temos X e queremos vender", o preço cairá. Assim, em vez de iniciar as negociações, preferimos reagir de forma oportunista.

Em todos os momentos, o ambiente de investimento é um dado e não temos outra alternativa a não ser aceitá-lo e investir dentro de seus limites. Nem sempre há um pêndulo ou extremidade de um ciclo contra o qual apostar. Às vezes, ganância e medo, otimismo e pessimismo e credulidade e ceticismo estão em equilíbrio; portanto, as pessoas não estão cometendo erros claros. Em vez de estar obviamente sobreprecificada ou subprecificada, a maioria das coisas aparenta ser negociada por um preço razoavelmente justo. Nesse caso, é possível que não haja grandes pechinchas a se comprar nem vendas persuasivas a se fazer.

Para que o investimento tenha êxito, é importante que reconheçamos a condição do mercado e, levando isso em conta, decidamos sobre nossas ações. As outras possibilidades são (a) agir sem reconhecer a situação do mercado, (b) agir com indiferença à sua situação e (c) acreditar que podemos de alguma forma mudar essa situação. Todas são possibilidades muito imprudentes. Faz todo o sentido investirmos de forma adequada às circunstâncias que nos são apresentadas. Na verdade, nenhum outro caminho faz sentido.

Essa conclusão tem base filosófica:

> Em meados dos anos 60, os alunos da Wharton precisavam cursar disciplinas optativas que não tivessem relação com a administração de empresas; eu resolvi frequentar cinco cursos de estudos japoneses. Surpreendentemente, esses cursos se tornaram o ponto alto de minha carreira universitária e, mais tarde, contribuíram para a elaboração de minha filosofia de investimentos de uma forma bastante significativa.
>
> O conceito conhecido como *mujo*[26] era um dos valores apreciados pela antiga cultura japonesa. Para mim, ele é definido tradicionalmente como o reconhecimento do "movimento da roda da lei", isto é, a aceitação da inevitabilidade da mudança, da ascensão e da queda... Em outras palavras, *mujo* significa que os ciclos atingirão o topo e declinarão, as coisas surgirão e desaparecerão, e nosso ambiente passará por modificações além do nosso controle.
>
> Assim, devemos reconhecer, aceitar, lidar com isso e responder: não é essa a essência dos investimentos?
>
> (...) O passado está no passado e não pode ser desfeito. O que fizemos nos traz às circunstâncias que agora enfrentamos. Tudo o que podemos fazer é reconhecer essas circunstâncias pelo que são e tomar as melhores decisões que pudermos de acordo com aquilo que nos foi entregue.
>
> "It is what it is" (É o que é), 27 de março de 2006

---

26. *Mujo*, em japonês, significa impermanência ou mutabilidade. (N.T.)

A filosofia de Warren Buffett é um pouco menos espiritualizada que a minha. Em vez de *mujo*, ele fala de beisebol.

No Relatório anual da Berkshire Hathaway de 1997, Buffett falou sobre Ted Williams,[27] conhecido como "Splendid Splinter", um dos grandes rebatedores da história. Ele estudava o seu próprio jogo de forma aprofundada; esse foi um dos fatores que contribuíram para seu sucesso. Após ter dividido a zona de *strike*[28] em 77 "células" do tamanho de uma bola de beisebol, ele mapeou seus resultados em uma tabela e descobriu que a média de rebatidas era muito melhor quando ele tentava rebater apenas os arremessos que atingiam um ponto ideal, o *"sweet spot"*. E, mesmo sabendo disso, era óbvio que não podia esperar o dia todo pelo arremesso perfeito; se ele deixasse passar três arremessos sem tentar acertar as bolas, seria eliminado. Voltando no tempo até a edição da revista *Forbes* de 1º de novembro de 1974, Buffett ressaltou que os investidores tinham uma vantagem nesse sentido, bastava aproveitá-la. Já que não podem ser eliminados se ficarem apenas olhando, não precisam se sentir pressionados a agir. Eles podem deixar passar muitas oportunidades até que surja uma espetacular.

> Investir é o melhor negócio do mundo porque você nunca precisa rebater. Nós nos mantemos em nossa posição e o lançador passa a nos arremessar oportunidades; General Motors a 47! U.S. Steel a 39! E ninguém nos põe fora do jogo. Não há penalidades, apenas oportunidades. Podemos esperar pelo arremesso que mais nos agrade e, então, quando os defensores (*fielders*) estiverem dormindo, nós nos levantamos e damos a tacada certa.
>
> "WHAT'S YOUR GAME PLAN?" (QUAL É O SEU ESQUEMA DE JOGO?), 5 DE SETEMBRO DE 2003

Uma das grandes coisas no mundo dos investimentos é que a única penalidade real ocorre quando fazemos investimentos que podem gerar perdas. Obviamente, não há penalidade por não aceitarmos investimentos que podem gerar perdas, apenas recompensas. E, mesmo quando deixamos passar alguns bons investimentos, a penalidade não é algo insuportável.

Em que consiste essa penalidade por deixar passar bons investimentos? Bem, os investidores são geralmente competitivos e participam do mercado

---

27. Theodore Samuel Williams (1918-2002) foi um jogador americano de beisebol. (N.T.)

28. Em inglês, *strike zone*. No beisebol, um retângulo imaginário entre os joelhos e os ombros do rebatedor. (N.T.)

pelo dinheiro. Assim, ninguém se sente completamente confortável em deixar passar uma oportunidade lucrativa.

No caso dos investidores profissionais, que são pagos para gerenciar o dinheiro dos outros, as apostas em jogo são bem maiores. Se os gestores deixarem passar muitas oportunidades e se seus retornos forem muito baixos nos períodos bons, podem sofrer pressão dos clientes e eventualmente perder clientes. Muito disso depende das informações anteriores repassadas. Na Oaktree, sempre deixamos nosso credo bastante claro: perder uma oportunidade lucrativa é menos importante do que investir em algo ruim. Assim, nossos clientes estão preparados para resultados que privilegiam o controle de riscos em detrimento da participação plena nos lucros.

∼

Manter-se em sua posição com o bastão nos ombros é a versão de Buffett sobre o oportunismo paciente. O bastão será retirado de nossos ombros e utilizado para rebater somente quando existirem oportunidades de lucro com risco controlado. Podemos ser seletivos nesse sentido quando empreendemos todos os esforços para verificar se nos encontramos em um ambiente de baixos ou de altos rendimentos.

Alguns anos atrás, criei uma alegoria para os ambientes de baixos rendimentos. Chamava-se "o gato, a árvore, a cenoura e a vareta". O gato é um investidor cujo trabalho é lidar com o ambiente de investimentos, do qual a árvore faz parte. A cenoura — o incentivo para se aceitar o aumento do risco — é obtida a partir dos rendimentos maiores que, aparentemente, são disponibilizados pelos investimentos mais arriscados. E a vareta — a motivação para deixar de lado a segurança — origina-se dos modestos retornos prospectivos oferecidos por investimentos mais seguros.

A cenoura atrai o gato a galhos mais altos — estratégias mais arriscadas — para conseguir seu jantar (seu retorno desejado), e a vareta faz o gato subir na árvore, pois ele não poderá jantar enquanto estiver perto do chão.

Juntas, a vareta e a cenoura podem fazer com que o gato suba até que ele finalmente chegue ao alto da árvore, deixando-o em uma posição perigosa. A observação mais importante é que o gato busca altos retornos, mesmo em um ambiente de rendimentos baixos, e suporta as consequências — aumento do risco —, embora muitas vezes sem saber.

Os investidores em títulos chamam esse processo de "busca pelo rendimento". Consiste, tradicionalmente, em investir em títulos mais arriscados à medida que diminuem os rendimentos dos títulos mais seguros, e, então, obter os retornos aos quais os investidores estavam acostumados antes de o mercado subir. Esse mesmo padrão de assumir riscos novos e maiores para manter o mesmo retorno muitas vezes se repete em um padrão cíclico. O lema daqueles que realizam a busca pelo retorno parece ser: "Quando o retorno de que precisamos não puder ser obtido por meio de investimentos seguros, devemos buscá-lo nos investimentos arriscados".

Pudemos testemunhar esse tipo de comportamento em meados da primeira década do século 21:

[Nos dias antes da crise de crédito], os investidores sucumbiam ao canto da sereia proporcionado pela alavancagem. Tomavam emprestado de fundos baratos de curto prazo — quanto menor o prazo, mais baratos (é possível obter dinheiro barato quando estamos dispostos a prometer reembolsos mensais) e usavam esse dinheiro para comprar ativos que ofereciam maiores retornos porque implicavam iliquidez e/ ou risco em seus fundamentos. E, desse modo, os investidores institucionais de todo o mundo aceitaram as duas mais novas "balas de prata" de Wall Street que prometiam altos retornos com baixo risco: a securitização e os investimentos estruturados. Superficialmente, esses investimentos faziam sentido. Prometiam retornos absolutos satisfatórios, já que os retornos das compras alavancadas mais do que pagariam o custo do capital. Os resultados seriam ótimos, desde que nada desagradável acontecesse.

Mas, como de costume, a busca por lucro leva a erros. Os retornos esperados pareciam bons, mas a gama de possíveis resultados incluía alguns muito desagradáveis. O êxito de muitas técnicas e estruturas dependia de um futuro que fosse parecido com o passado. Confiava-se em muitos "milagres modernos" que não haviam sido testados.

"No different this time" (Não é diferente desta vez), 17 de dezembro de 2007

É notável que muitos dos principais concorrentes de nossos primeiros anos como investidores tenham deixado de ser concorrentes proeminentes (ou tenham mesmo deixado de ser concorrentes). Enquanto algumas pessoas foram vítimas dos erros de sua organização ou modelo de negócios, outros desapareceram porque insistiram em buscar altos retornos em ambientes de rendimentos baixos.

Não há como criar oportunidades de investimento quando elas não existem. Tentar perpetuar altos rendimentos — e sacrificar todos os lucros durante a tentativa — é a coisa mais tola que podemos fazer. Se as oportunidades não existem, não haverá esperança que as crie.

Quando os preços estão altos, é inevitável que os retornos prospectivos sejam baixos (e os riscos altos). Por si só, essa frase oferece muitas orientações quanto às ações adequadas para a carteira. Como integrar essa observação às nossas práticas?

Em 2004 escrevi um memorando intitulado "Risk and return today" (Risco e retorno hoje). Nele, conforme descrevi no capítulo 6, expressei minha opinião de que (a) a linha de mercado de capital naquele momento era "baixa e plana", o que significava que os retornos prospectivos em quase todos os mercados estavam entre os mais baixos já testemunhados até então e que os prêmios de risco eram os menores; e que (b), se os retornos prospectivos aumentassem, isso aconteceria por meio da queda nos preços.

Mas a pergunta é: o que podemos fazer sobre isso? Algumas semanas depois, sugeri algumas possibilidades:

O que fazer quando o mercado parece estar oferecendo rendimentos muito baixos?

- *Investir como se os rendimentos baixos não fossem verdade* — o problema disso é que "desejar que não seja verdade, não fará com que isso se torne uma realidade". Simplificando, não faz sentido esperarmos por retornos tradicionais quando os preços elevados dos ativos sugerem que isso não acontecerá. Fiquei feliz em receber uma carta de Peter Bernstein em resposta ao meu memorando; ele disse algo maravilhoso: "O mercado não é uma máquina muito acolhedora; ele não lhe oferecerá rendimentos altos só porque você precisa deles".
- *Investir mesmo assim* — tentando obter retornos relativos aceitáveis sob as circunstâncias, mesmo que sejam pouco atraentes em termos absolutos.
- *Investir* — ignorando o risco de curto prazo e focando o longo prazo. Isso não é irracional, especialmente quando aceitamos a ideia de que o *market timing* e a alocação tática de ativos não são estratégias fáceis. Mas, antes de tomarmos esse caminho, é preciso que nosso comitê de investimentos ou outros interessados aceitem as perdas de curto prazo, ignorando-as.
- *Cash holding* (manter posição de caixa) — mas isso é difícil para as pessoas que precisam cumprir uma certa pressuposição atuarial ou taxa de execução; que querem que seu dinheiro esteja "totalmente empregado" em todos os momentos; ou que ficarão desconfortáveis (ou perderão seus empregos) se precisarem ficar apenas observando enquanto os outros ganham o dinheiro que elas não estão ganhando.

- *Concentrar os investimentos em "nichos especiais e pessoas especiais",* como eu tenho falado sem parar nos últimos dois anos. Mas isso fica mais difícil à medida que a carteira se torna maior. Além disso, não é nada fácil encontrar gestores que sejam verdadeiramente talentosos, disciplinados e pacientes.

A verdade é que não há uma resposta fácil para ajudar o investidor que precisa trabalhar com retornos prospectivos e prêmios de risco acanhados. Mas há uma forma de agir — um erro clássico — que acredito ser a mais equivocada de todas: a busca pelo rendimento.

Dada a atual escassez de retorno prospectivo quando investimos em ativos de baixo risco e a grande propaganda e sensacionalismo das soluções de alto risco, muitos investidores estão levando seu capital para investimentos mais arriscados (ou pelo menos tradicionais). Mas (a) eles fazem investimentos mais arriscados justamente no momento em que os retornos prospectivos desses investimentos estão em seus níveis mais baixos; (b) aceitam maior risco em troca de incrementos mínimos de seus rendimentos; e (c) investem hoje em coisas que recusaram (ou em que investiram pouco) no passado, quando os retornos prospectivos eram muito maiores. Este talvez seja o pior momento para correr maiores riscos em busca de maior rentabilidade. Desejamos correr riscos quando outros estão fugindo dele, não quando estão competindo conosco por maiores riscos.

"THERE THEY GO AGAIN" (LÁ VÃO ELES DE NOVO), 6 DE MAIO DE 2005

Está claro que isso foi escrito cedo demais. Maio de 2005 ainda não era o momento perfeito para pular fora do carrossel; o momento certo ocorreu em maio de 2007. Esse tipo de antecedência nos alerta sobre como é doloroso estar muito à frente do próprio tempo. Dito isso, foi muito melhor ter saído cedo, em maio de 2005, do que continuado no mercado até depois de maio de 2007.

～

Tentei deixar claro que o ambiente de investimentos influencia muito os resultados. Para que consigamos obter rendimentos altos em um ambiente de baixos retornos, devemos ter a capacidade de nadar contra a maré e encontrar os relativamente poucos vencedores. Isso fundamenta-se em alguma combinação entre a competência excepcional, a assunção de riscos altos e a boa sorte.

Os ambientes de rendimentos elevados, por outro lado, oferecem oportunidades de rendimentos generosos por meio de compras a preços baixos, e, geralmente, seus riscos também são baixos. Nas crises de 1990, 2002 e 2008, por exemplo, não só nossos fundos ganharam retornos extraordinariamente altos como tínhamos a sensação de que isso ocorria por meio de investimentos nos quais a perda de dinheiro era improvável.

As melhores oportunidades de compra surgem quando os titulares de ativos são forçados a vender; nessas crises eles estavam presentes em grande número. De tempos em tempos, os titulares são forçados a vender por razões como estas:

- os fundos que gerenciam sofrem retiradas;
- os ativos que têm em carteira violam diretrizes de investimentos, como qualidade mínima de crédito ou posições máximas; e
- surgem exigências por maiores garantias (*margin calls*) porque o valor de seus ativos não satisfaz os requisitos acordados em contratos com seus credores.

Como já disse muitas vezes, o verdadeiro objetivo da gestão ativa de investimentos é comprar coisas por menos do que valem. Isso é o que a hipótese eficiente do mercado diz que não podemos fazer. A objeção da teoria parece razoável: por que podemos comprar algo a preço de pechincha, especialmente quando o potencial vendedor está bem informado e é racional?

Em geral, os vendedores equilibram o desejo de obter um bom preço e o desejo de realizar a negociação o mais breve possível. A beleza dos vendedores forçados é que eles não têm escolha. Eles têm uma arma apontada para a cabeça e precisam vender, independentemente do preço. Estas últimas três palavras — *independentemente do preço* — são as mais belas do mundo quando estamos do outro lado da transação.

Quando um único titular é forçado a vender, muitos compradores estão prontos para fazer uma oferta, de modo que a negociação pode ocorrer a um preço apenas ligeiramente reduzido. Mas, quando o caos é generalizado, muitas pessoas são forçadas a vender ao mesmo tempo e poucas se encontram em posição de oferecer a liquidez necessária. As dificuldades que obrigam a vender — queda de preços, falta de crédito, pânico das contrapartes ou dos clientes — têm o mesmo impacto na maioria dos investidores. Nesse caso, os preços podem ficar muito abaixo do valor intrínseco dos ativos.

O quarto trimestre de 2008 nos oferece um excelente exemplo sobre a necessidade de liquidez em tempos de caos. Vamos nos concentrar nas dívidas bancárias seniores detidas pelas entidades de investimento alavancadas. Já que essas dívidas tinham uma nota de risco elevada e que havia bastante crédito disponível durante os anos anteriores à crise, era fácil obter empréstimos de grandes somas que, posteriormente, alavancariam carteiras de dívidas, ampliando os rendimentos potenciais. Geralmente, o investidor típico concordava em aportar mais capital sempre que o preço das garantias caía abaixo de 85% de seu valor nominal; aceitava a proposta porque estava seguro de que, no passado, os empréstimos desse tipo nunca haviam sido negociados muito abaixo do valor nominal.

Com a chegada da crise de crédito, tudo deu errado para os investidores alavancados por meio de dívidas bancárias. (E como os rendimentos desses empréstimos supostamente seguros haviam sido tão baixos até aquele momento, quase todos os compradores tinham usado a alavancagem para melhorar seus retornos esperados.) Os preços dos empréstimos caíram. A liquidez secou, uma vez que grande parte das compras havia sido realizada com fundos emprestados, a contração do mercado de crédito afetou um grande número de titulares. À medida que o número de vendedores potenciais aumentava vertiginosamente, os compradores com liquidez desapareciam. E já que não havia crédito adicional disponível, também desapareceram os novos compradores alavancados para absorver toda a venda.

Os preços caíram para 95%, depois para 90% e, finalmente, para 85% do valor nominal. E à medida que as carteiras atingiam seu ponto crítico, os bancos começaram a realizar as *margin calls*, isto é, passaram a exigir um novo aporte de capital ou aumento das garantias. Poucos investidores tinham os recursos e a coragem necessários para fazer aportes de capital nesse ambiente, de modo que os bancos assumiram as carteiras e as liquidaram. BWIC (pronunciado "bi-uik", acrônimo de *bid wanted in competition,* isto é, solicitação de ofertas em concorrência) passou a ser um processo de uso comum. Os investidores eram informados de uma BWIC à tarde e convidados a fazer suas ofertas de compra em um leilão que ocorreria na manhã seguinte. Os poucos compradores que podiam fazer ofertas davam lances baixos, esperando conseguir verdadeiras pechinchas (ninguém precisava se preocupar com os lances muito baixos, já que tinham certeza de que seriam convidados para outra BWIC depois daquela). Além disso, não era preocupação dos bancos obter preços justos; tudo o que precisavam era de rendimentos suficientes para cobrir seus empréstimos (talvez 75% ou 80% do valor nominal). Todo valor acima disso era do investidor, mas os bancos não estavam se importando em gerar nada para eles. Dessa forma, as BWICs ocorriam a preços incrivelmente baixos.

Em um dado momento, os preços dos empréstimos chegaram a 60%, e todos os titulares de créditos de curto prazo que não puderam aportar o capital adicional foram provavelmente excluídos do sistema. Os preços de venda eram ridículos. As quedas dos índices das dívidas seniores em 2008 excederam as quedas dos índices dos títulos subordinados de alto rendimento, certamente sinalizando uma ineficiência. Era possível comprar um dívida com garantia real a preços que atingiriam o equilíbrio entre perdas e ganhos mesmo se a empresa emissora valesse entre 20% e 40% do que um fundo de aquisições do tipo *buyout* havia pagado por ela apenas um ano ou dois antes. Os rendimentos esperados eram muito grandes e, na verdade, muitos desses títulos ficaram extremamente valorizados em 2009.

Esse foi o momento de o investidor, oportunista e paciente, dar um passo à frente. Os que mais aproveitaram foram aqueles que estavam cientes dos riscos em 2006 e 2007 e que se mantiveram cautelosos, aguardando por uma oportunidade.

Durante uma crise, é importante ficarmos (a) longe das forças que nos façam vender e (b) bem posicionados para sermos compradores. Para satisfazer esses critérios, o investidor precisa do seguinte: confiança firme no valor do ativo, nenhuma (ou pouca) alavancagem, capital de longo prazo e estômago forte. O oportunismo paciente, reforçado pelo ponto de vista contrário e por um balanço patrimonial sólido, é capaz de produzir lucros incríveis durante os períodos de crise.

14

O mais importante é... saber o que não sabemos

> Temos dois tipos de pessoas que fazem prognósticos: aquelas que não sabem e aquelas que não sabem que não sabem.
>
> JOHN KENNETH GALBRAITH

> É assustador imaginar que não sabemos algo, mas mais assustador ainda é imaginar que, em geral, o mundo é dirigido por pessoas que acreditam saber exatamente o que está acontecendo.
>
> AMOS TVERSKY

> Há dois tipos de pessoas que perdem dinheiro: aqueles que não sabem nada e aqueles que sabem tudo.
>
> HENRY KAUFMAN

Escolhi apenas três epígrafes para abrir este capítulo; eu poderia citar mais um milhão de outras semelhantes a essas. Estar consciente dos limites de nosso conhecimento sobre o futuro é um componente essencial de minha abordagem de investimentos.

Estou bastante convencido de que (a) é difícil saber o que o futuro macroeconômico nos reserva e (b) que poucas pessoas têm conhecimentos incomparáveis sobre esses assuntos que lhes garantam alguma vantagem regular no mundo dos investimentos. Há duas ressalvas, no entanto:

- quanto mais nos concentramos em fatos menores, mais conseguimos obter alguma vantagem informacional. Com trabalho duro e competência, podemos saber de forma confiável mais do que nosso colega sobre empresas e ativos específicos, mas isso é muito menos provável de ocorrer em relação aos mercados e às economias. Assim, sugiro que as pessoas tentem "saber o que é possível saber"; e

- há uma exceção relativa a uma sugestão feita por mim, e que será explicitada no próximo capítulo; acredito que os investidores devem tentar descobrir, em termos de ciclos e pêndulos, onde se encontram em um dado momento. Isso não os fará prever o exato momento das reviravoltas futuras, mas poderá prepará-los para esses eventos prováveis.

Não tentarei provar minha alegação de que o futuro é desconhecido. Não se pode provar uma frase negativa, o que certamente inclui a minha. No entanto, ainda não conheci ninguém que saiba de forma fiel o que está por vir em termos macroeconômicos. Dentre todos os economistas e estrategistas que você segue, há alguém que esteja certo na maioria das vezes?

~

Minhas "pesquisas" sobre esse assunto (e uso aspas porque meus esforços na área são muito limitados e anedóticos para serem chamados de pesquisas sérias) consistem principalmente em ler previsões e observar sua falta de utilidade. Escrevi dois memorandos sobre isso, "The value of predictions, or where'd all this rain come from?" (O valor das previsões, ou de onde veio essa chuva toda?, 15 de fevereiro de 1993) e "The value of prediction II, or give that man a cigar" (O valor das previsões II, ou dê um charuto àquele homem, 22 de agosto de 1996). No segundo memorando, usei dados de três pesquisas econômicas semestrais do *The Wall Street Journal* para examinar a utilidade das previsões.

Em primeiro lugar, será que as previsões eram, em geral, precisas? A resposta: não, obviamente. Na média, as previsões para a taxa de juros das letras do tesouro de 90 dias, a taxa dos títulos de trinta anos e a taxa de câmbio iene/dólar para os seis e doze meses seguintes tiveram um erro superior a 15%. A previsão da taxa de juros dos títulos de longo prazo seis meses depois apresentou erro de 96 pontos-base (*basis points*, em inglês) — uma divergência suficientemente grande para transformar o valor de um título de 1.000 dólares em 120 dólares.

Em segundo lugar, será que as previsões têm algum valor? As previsões se mostram muito úteis quando são capazes de antecipar corretamente as mudanças. Se alguém prevê que algo não vai mudar e esse algo realmente não muda, é provável que esse tipo de previsão não gere muito dinheiro para quem a realizou. Entretanto, prever com precisão as mudanças pode ser muito lucrativo.

Nas pesquisas do jornal, percebi que os prognósticos deixaram de prever várias mudanças importantes (quando previsões precisas teriam ajudado as pessoas a ganhar dinheiro ou evitar perdas): os aumentos das taxas de juros de 1994 e 1996, o declínio da taxa em 1995 e as revoluções gigantescas da relação dólar/iene. Em resumo, simplesmente não havia muita correlação entre as mudanças previstas e as mudanças reais.

Em terceiro lugar, qual era a fonte das previsões? A resposta aqui é simples: a maioria das previsões consistia em extrapolações. Na média, as previsões estavam até 5% acima ou abaixo dos níveis avaliados no momento em que foram feitas. Como muitos que fazem previsões, esses economistas estavam dirigindo com os olhos colados no retrovisor e, assim, podiam dizer onde as coisas estiveram até aquele ponto, mas não para onde iam. Isso remonta a um velho adágio: "é difícil fazer previsões precisas, especialmente no que diz respeito ao futuro". Seu corolário também é verdadeiro: prever o passado é muito fácil.

Em quarto lugar, as pessoas que faziam previsões estiveram certas em algum momento? A resposta é um sim forte. Por exemplo, nas previsões semestrais, alguém sempre acertava precisamente o rendimento dos títulos de trinta anos com erro de 10 ou 20 pontos-base, mesmo quando as taxas de juros mudavam radicalmente. Essa previsão era muito mais precisa do que a do consenso, cujo erro ficava entre 70 e 130 pontos-base.

Em quinto lugar, se as pessoas às vezes acertavam de forma tão dramática, então por que ainda somos tão negativos em relação às previsões? Porque, ao realizá-las, o importante não é acertar uma vez, mas acertar de forma consistente.

O memorando que escrevi em 1996 continuava assim: "duas coisas podem nos levar a pensar duas vezes antes de darmos ouvidos àqueles que fizeram previsões corretas". Primeiro, eles, em geral, não conseguiram fazer previsões precisas em outras pesquisas, apenas naquela que acertaram. E, segundo, nas previsões que não acertaram, pelo menos metade delas estava muito mais errada que as previsões do consenso. A coisa mais importante, é claro, não são os dados, mas as conclusões (supondo que estejam corretas e possam ser generalizadas) e suas ramificações.

> Uma maneira de estar certo é seguir sempre apenas uma tendência, seja a altista ou a baixista; se mantivermos uma visão única por bastante tempo, cedo ou tarde acabamos acertando. E se fizermos apenas previsões que estejam fora da curva, é possível que sejamos aplaudidos por alguma previsão pouco convencional que tenha enxergado corretamente o que ninguém mais conseguiu. Mas isso não significa que essas previsões possuam regularmente algum valor...

É possível estar certo sobre o futuro macroeconômico de vez em quando, mas não de forma regular. Não adianta ter acesso a um levantamento de 64 previsões que incluam algumas corretas; é preciso saber quais estão certas. E se as previsões corretas forem feitas a cada seis meses por diferentes economistas, será difícil acreditar que haja algum valor nas previsões coletivas.

"THE VALUE OF PREDICTION II, OR GIVE THAT MAN A CIGAR" (O VALOR DAS PREVISÕES II, OU DÊ UM CHARUTO ÀQUELE HOMEM), 22 DE AGOSTO DE 1996

~

A discussão sobre previsões nos sugere um dilema: os resultados dos investimentos serão inteiramente determinados pelo que acontece no futuro e, embora consigamos saber, na maior parte do tempo, o que aconteceria quando as coisas ocorressem de forma "normal", não somos capazes de saber o que vai acontecer naqueles momentos em que esse conhecimento faria toda diferença.

- Na maior parte do tempo, as pessoas preveem um futuro muito parecido com o passado recente.
- Elas não estão necessariamente erradas: na maioria das vezes, o futuro *é* em grande parte uma reprise do passado recente.
- Com base nesses dois pontos, é possível concluir que as previsões estarão corretas na maior parte do tempo: em geral, elas extrapolam a experiência recente e são precisas.
- No entanto, as muitas previsões que extrapolam corretamente a experiência passada têm pouco valor. Assim como as pessoas que fazem previsões costumam supor um futuro muito parecido com o passado, os mercados fazem o mesmo e costumam precificar pressupondo a continuidade do histórico mais recente. Assim, se o futuro for como o passado, é improvável que as pessoas ganhem muito dinheiro, mesmo aquelas que fizeram uma previsão acertada.
- De vez em quando, no entanto, o futuro acaba sendo muito diferente do passado.
- É nesses momentos que as previsões precisas teriam muito valor.
- É também nesses momentos que as previsões costumam estar incorretas.
- Algumas previsões podem estar corretas nesses momentos cruciais, sugerindo a possibilidade de se prever corretamente certos eventos essenciais, mas é improvável que as mesmas pessoas tenham tido antevisões como essas de forma consistente.
- A discussão sugere que, ao final, as previsões têm pouquíssimo valor.

Caso o leitor precise de provas, pergunte a si mesmo quantas pessoas previram corretamente o problema do *subprime*, a crise global de crédito e o gigantesco colapso de 2007-2008. Talvez você encontre algumas pessoas e conclua que as previsões desses indivíduos eram valiosas. Mas, então, pergunte a si mesmo quantos desses poucos foram capazes de prever a recuperação econômica que começou lentamente em 2009 e a enorme retomada do mercado naquele ano. Penso que a resposta seja: "pouquíssimos".

E isso não é um acidente. Aqueles que acertaram sobre a crise de 2007 e 2008 provavelmente o fizeram, pelo menos em parte, por causa de sua tendência pessimista; provavelmente continuaram pessimistas em relação a 2009. Por isso, a utilidade geral dessas previsões não foi boa, mesmo tendo antecipado corretamente alguns dos eventos financeiros mais importantes dos últimos oitenta anos.

Então a questão mais importante não é saber se as previsões acertam de vez em quando. A pergunta mais importante é: será que as previsões, como um todo (ou previsões individuais de uma pessoa qualquer) são úteis e valiosas de forma consistente? Ninguém deve apostar muito em uma resposta afirmativa.

Em 2007-2008, a previsão de uma crise global teria sido extremamente valiosa. Entretanto, será que teríamos tomado alguma atitude se víssemos que a previsão vinha de alguém sem histórico consistente de acertos, alguém com um viés pessimista visível? Esse é o problema quando as pessoas que fazem as previsões são inconsistentes: não que elas nunca estejam certas, mas o histórico de suas elucubrações não é suficientemente positivo para inspirar confiança e nos levar a agir.

∿

Não é segredo que não tenho uma opinião muito boa sobre as pessoas que fazem previsões e sobre aquelas que acreditam piamente nelas. Por isso, dei um apelido para essas pessoas.

A maioria dos investidores que conheci ao longo dos anos pertence à escola do "eu sei". É fácil identificá-los:

- eles acreditam que, para fazer bons investimentos, é essencial conhecer a direção futura das economias, as taxas de juros, os mercados e as ações tradicionais amplamente seguidas;
- garantem que é possível conhecer tudo isso;
- sabem que eles conseguem;

- estão cientes de que muitas outras pessoas estão tentando fazer o mesmo, mas acreditam que ou (a) todos podem ganhar ao mesmo tempo ou (b) apenas alguns podem, incluindo eles;
- sentem-se confortáveis ao investir com base em suas próprias opiniões sobre o futuro;
- gostam muito de compartilhar suas opiniões com os outros, mesmo sabendo que as previsões corretas são tão valiosas que ninguém as entregaria de graça;
- raramente analisam suas previsões para avaliar rigorosamente seu histórico de acertos e erros.

Confiança é a palavra-chave para descrever os membros dessa escola. Para a escola do "eu não sei", por outro lado, a palavra-chave, especialmente quando se lida com o futuro macroeconômico, é *cautela*. Seus adeptos geralmente acreditam ser impossível conhecer o futuro, que não precisam saber o que o futuro nos reserva e que o objetivo mais apropriado do investidor é realizar o melhor trabalho possível sem nenhum conhecimento prévio sobre o futuro.

Como membro da escola do "eu sei", as pessoas podem opinar sobre o futuro (e talvez outras pessoas tomem notas). Você pode ser procurado por suas opiniões e ser considerado como um convidado desejável para o jantar (...) especialmente quando o mercado de ações está subindo.

Junte-se à escola do "eu não sei" e os resultados serão mais variados. Logo se cansará de dizer "eu não sei" para amigos e estranhos. Depois de um tempo, até os parentes vão parar de perguntar sua opinião sobre os caminhos do mercado. Nunca desfrutará daquele momento incrível em que sua previsão estará correta e o *The Wall Street Journal* publicará sua foto. Por outro lado, entretanto, será poupado de todos os momentos em que as previsões erraram, bem como das perdas que podem ocorrer quando se investe com base em um conhecimento superestimado do futuro.

"US AND THEM" (NÓS E ELES), 7 DE MAIO DE 2004

Ninguém gosta de investir no futuro sabendo que o futuro é em grande parte desconhecido. Por outro lado, se for assim, será melhor aceitarmos a situação e buscarmos outra maneira de lidar com o problema que não seja por meio das previsões. É muito melhor reconhecer e acomodar as limitações que nos são impostas no mundo dos investimentos do que negá-las e seguir adiante.

Ah, sim, mais uma coisa: os maiores problemas tendem a surgir quando os investidores esquecem a diferença entre probabilidade e resultado, ou seja, quando se esquecem dos limites das previsões:

- quando acreditam que a forma da distribuição de probabilidade é um dado conhecido e certo (e que sabem disso);
- quando presumem que o resultado mais provável é o que vai acontecer;
- quando presumem que o resultado esperado representa o resultado real com precisão; ou,
- talvez o mais importante, quando ignoram a possibilidade de resultados improváveis.

Os investidores imprudentes que ignoram essas limitações tendem a cometer erros em suas carteiras e, ocasionalmente, sofrem enormes perdas. Essa é a história do que ocorreu entre 2004 e 2007: muitas pessoas superestimaram até que ponto os resultados eram conhecidos e controláveis e subestimaram o risco presente nas coisas que faziam.

~

Saber se as tentativas de prever o futuro vão (ou não) funcionar não é apenas uma questão de mera curiosidade ou reflexão acadêmica. Isso tem, ou deveria ter, consequências importantes em relação ao comportamento dos investidores. Quando nos comprometemos em uma atividade que envolve decisões com consequências para o futuro, parece bastante óbvio agir de uma forma se acreditamos que o futuro pode ser previsto e de outra se acreditamos que não pode.

Uma pergunta fundamental que os investidores precisam responder a si mesmos é se, para eles, o futuro é um dado conhecido ou desconhecido. Os investidores que acreditam saber o que o futuro reserva agirão de forma assertiva: farão apostas numa direção, concentrarão suas posições, alavancarão suas participações e contarão com crescimento futuro — ou seja, farão coisas que, na ausência de uma previsão, aumentariam o risco. Por outro lado, aqueles que acreditam não saber o que o futuro reserva agirão de forma bem diferente: diversificarão, farão *hedge* dos riscos, farão menos dívidas (ou não as farão), darão maior prioridade ao valor presente e não ao crescimento futuro, manterão uma estrutura de capital saudável e, geralmente, se prepararão para uma variedade de resultados possíveis. O primeiro grupo de investidores se saiu muito melhor nos anos que antecederam a crise. Mas o segundo grupo estava mais bem preparado para a crise e tinha mais capital disponível (e estava psicologicamente mais intacto) para poder lucrar com compras a preços muito baixos.

"Touchstones" (Critérios), 10 de novembro de 2009

Quem diz conhecer o futuro não precisa jogar na defensiva. E, assim, deve comportar-se com agressividade e buscar as tacadas certeiras, pois não deve temer a perda. A diversificação é desnecessária e pode-se empregar o endividamento (alavancagem) máximo. Na verdade, ser indevidamente modesto sobre o que sabe pode resultar em custos de oportunidade (lucros que se deixa escapar).

Por outro lado, quem não sabe o que o futuro reserva não age como se soubesse, pois isso seria imprudente. Se voltarmos a Amos Tversky e à poderosa citação que abriu este capítulo, veremos que a conclusão é bastante clara. Investir em um futuro desconhecido como agnóstico é uma perspectiva assustadora, mas, se a possibilidade de previsão é pouco confiável, investir como se o futuro fosse um dado conhecido é uma loucura. Talvez Mark Twain[29] tenha dito isso melhor: "O que nos põe em apuros não são as coisas que não sabemos. São aquelas que, mesmo não sendo verdadeiras, temos certeza de que são.".

Superestimarmos o que somos capazes de saber ou fazer pode ser extremamente perigoso — seja em uma operação de cérebro, seja em uma corrida transoceânica, seja na realização de investimentos. Reconhecermos os limites do que somos capazes de saber — e trabalharmos dentro desses limites em vez de nos aventurarmos em águas desconhecidas — pode nos dar uma grande vantagem.

---

29. A autoria da frase citada é contestada. (N.T.)

15

O mais importante é... entender nossa posição

Talvez nunca saibamos para onde vamos, mas é melhor termos uma boa ideia de onde estamos.

Os ciclos do mercado apresentam ao investidor um desafio assustador, dado que:

- seus altos e baixos são inevitáveis;
- influenciam profundamente nosso desempenho como investidores;
- são imprevisíveis quanto ao tamanho e, especialmente, em relação ao momento em que podem ocorrer.

Precisamos, assim, lidar com uma força que causará grande impacto e que é em grande parte desconhecida. Então, o que devemos fazer a respeito dos ciclos? Essa é uma questão de importância vital cujas respostas óbvias — como de costume — não são as certas.

A primeira possibilidade é que, em vez de aceitar a imprevisibilidade dos ciclos, devemos redobrar nossos esforços para prever o futuro, dedicando mais recursos à batalha e apostando cada vez mais em nossas conclusões. Mas um volume gigantesco de dados (e toda a minha experiência) me diz que a única coisa que podemos prever sobre os ciclos é que são inevitáveis. Além disso, no mundo dos investimentos, para obter resultados ótimos, precisamos saber mais que os outros; e, até o momento, ninguém conseguiu me mostrar de forma satisfatória que há pessoas que saibam mais do que o consenso sobre o momento exato e o tamanho dos ciclos futuros.

A segunda possibilidade é aceitar que o futuro é um dado desconhecido, levantar as mãos e simplesmente ignorar os ciclos. Em vez de tentar prevê-los, podemos tentar fazer bons investimentos e mantê-los durante os ciclos. Já que não temos como saber se devemos manter uma quantidade maior ou menor, ou quando nossa postura de investimento deve se tornar mais agressiva ou mais defensiva, podemos simplesmente investir, ignorando completamente os ciclos e seus profundos impactos. Essa estratégia é chamada de compre e mantenha (*buy and hold*).

No entanto, há uma terceira possibilidade que é de longe, em minha opinião, a mais correta. Por que não tentar simplesmente descobrir em que ponto do ciclo nos encontramos e o que isso significa para nossas ações?

> No mundo dos investimentos (...) nada é tão confiável quanto os ciclos. Os fundamentos, os fatores psicológicos, os preços e os rendimentos aumentarão e diminuirão, apresentando oportunidades de cometer erros ou lucrar com os erros dos outros. Estes são os fatos conhecidos.
>
> Não temos como saber qual será o alcance de uma tendência, quando ela mudará de direção, o que a fará parar e mudar ou qual será o alcance máximo na direção oposta. Mas tenho certeza de que, cedo ou tarde, todas as tendências atingem um ponto de parada. Nada dura para sempre.
>
> Então, o que podemos fazer sobre os ciclos? Se não podemos saber com antecedência como e quando as curvas ocorrerão, como devemos lidar com isso? Sou dogmático em relação a esse tema: talvez nunca saibamos para onde vamos, mas é melhor termos uma boa ideia de onde estamos. Ou seja, mesmo que não possamos prever o momento e o tamanho das flutuações cíclicas, é essencial que nos esforcemos para determinar em que ponto do ciclo nos encontramos e agir de acordo com esse dado.
>
> "IT IS WHAT IT IS" (É O QUE É), 27 DE MARÇO DE 2006

~

> Seria maravilhoso podermos prever com êxito as oscilações do pêndulo e sempre nos movermos na direção apropriada, mas esta é certamente uma expectativa irreal. Considero muito mais razoável (a) ficarmos atentos para as ocasiões em que um mercado tenha atingido uma extremidade; (b) ajustarmos nosso comportamento como resposta; e (c), o mais importante, não aceitarmos o comportamento do rebanho que leva tantos investidores a tomar decisões erradas nas altas e nas baixas.
>
> "FIRST QUARTER PERFORMANCE" (DESEMPENHO DO PRIMEIRO TRIMESTRE), 11 DE ABRIL DE 1991

Não estou sugerindo que, se descobrirmos o ponto do ciclo em que nos encontramos, saberemos exatamente o que está por vir. Mas acredito que esse conhecimento poderá nos oferecer uma percepção valiosa dos eventos futuros e da forma de lidar com eles; isso é tudo o que podemos esperar.

∿

Quando digo que é possível conhecermos nossa posição atual (ao contrário da posição futura), não quero insinuar que esse entendimento será automático. Como quase tudo no mundo dos investimentos, isso demanda muito trabalho. É, porém, factível. Eis alguns conceitos que considero essenciais para esse esforço.

Primeiro, devemos estar alertas para o que está acontecendo. O filósofo Santayana disse que "aqueles que não se lembram do passado estão condenados a repeti-lo". Da mesma forma, acredito que aqueles que não estão cientes do que está acontecendo ao seu redor estão destinados a ser esbofeteados pelos acontecimentos.

Por mais difícil que seja conhecer o futuro, não é tão difícil entender o presente. Para isso, precisamos "tirar a temperatura do mercado". Quando estamos alertas e perceptivos, podemos medir o comportamento das pessoas ao nosso redor e, a partir disso, julgar o que devemos fazer.

O ingrediente essencial aqui é a *inferência*, uma de minhas palavras favoritas. Todos nós temos notícias sobre os acontecimentos diários, conforme relatados pela mídia. Mas quantas pessoas se esforçam para entender o que esses eventos cotidianos dizem sobre a mentalidade dos participantes do mercado, sobre o clima dos investimentos e, portanto, sobre o que devemos fazer em resposta?

Simplificando, devemos nos esforçar para entender as implicações dos acontecimentos de nosso entorno. Quando os outros são imprudentemente confiantes e estão comprando de forma agressiva, devemos ser extremamente cautelosos; quando os outros estão paralisados de medo ou vendendo com base no pânico, devemos nos tornar agressivos.

Então, devemos olhar ao redor e nos perguntar: os investidores estão otimistas ou pessimistas? Os líderes midiáticos dizem que é hora de entrar ou fugir dos mercados? As novas estratégias de investimento estão sendo prontamente aceitas ou descartadas imediatamente? As ofertas de ativos e aberturas de fundos estão sendo tratadas como oportunidades para enriquecer ou possíveis armadilhas? O ciclo de crédito tem facilitado ou impossibilitado a disponibilização de capital? Os quocientes preço/lucro estão altos ou baixos em relação aos dados históricos, e os *spreads* de rendimento estão pequenos ou grandes? Todos esses fatores são importantes e, ainda assim, nenhum deles implica uma previsão. É possível tomarmos decisões de investimento excelentes com base nas observações atuais sem precisarmos dar palpites sobre o futuro.

Para isso, devemos anotar esses fatores citados e deixá-los nos dizer o que fazer. Enquanto os mercados não requerem nossa ação diária com base nesses fatores, eles o fazem em suas extremidades, quando os dados coletados se tornam muito importantes.

~

Os anos de 2007 e 2008 podem ser vistos como um momento doloroso para os mercados e seus participantes, ou como a maior experiência de aprendizado de nossas vidas. Foram, obviamente, as duas coisas, mas a primeira não nos oferece muita ajuda. Já o entendimento da segunda pode nos tornar melhores investidores. Não há exemplo melhor do que a devastadora crise de crédito para ilustrar a importância de efetuar observações precisas sobre o presente e a loucura de tentar prever o futuro. E merece uma discussão detalhada.

É óbvio, em retrospectiva, que meados de 2007, o período que antecedeu o início da crise financeira, foi uma época em que os investidores assumiam riscos desenfreados e inconscientes. Estavam descrentes em relação aos títulos e às ações e, por isso, o dinheiro passou a frequentar "investimentos alternativos", como o *private equity* ou *buyout* em quantidades que bastavam para condená-los ao fracasso. Aceitava-se de forma inquestionável a proposta de que casas e outros bens imóveis proporcionariam lucros seguros e proteção contra a inflação. Assim, o acesso extremamente fácil ao crédito, as baixas taxas de juros e as poucas exigências incentivaram o uso do endividamento (alavancagem) em níveis que se mostraram excessivos.

Conhecer o risco após o fato já ter ocorrido não nos ajuda muito. A questão é saber se a atenção e a inferência teriam nos ajudado a evitar a mão pesada dos declínios do mercado ocorridos em 2007-2008. Eis alguns dos indicadores de aquecimento que percebemos:

- A emissão de títulos de alto rendimento e empréstimos alavancados de baixa qualidade creditícia estava em níveis recordes por amplas margens.
- Uma gigantesca porcentagem dos títulos de alto rendimento emitidos tinha nota de risco CCC, uma classificação de crédito que, em geral, não permite que os títulos sejam vendidos em grandes quantidades.
- As empresas se endividavam, de forma rotineira, para pagar dividendos aos seus acionistas. Em períodos normais, essas transações, que

aumentam o risco dos emissores e nada faz pelos credores, são mais difíceis de serem efetuadas.

- Emitia-se cada vez mais títulos de dívidas com cupons que podiam ser pagos por meio de outros títulos de dívidas, e a fixação de poucos ou nenhum *covenant*[30] para proteger os credores.
- As anteriormente raras notas de crédito AAA para títulos de dívidas eram agora atribuídas aos milhares a veículos estruturados ainda não testados.
- As compras do tipo *buyout* eram realizadas em múltiplos do fluxo de caixa e níveis de alavancagem cada vez maiores. Em média, as empresas de *private equity* pagaram 50% a mais por cada dólar de fluxo de caixa em 2007 com relação a 2001.
- Foram realizados buyouts em setores altamente cíclicos, como o de fabricação de semicondutores. Em períodos de maior ceticismo, os investidores não gostam muito de combinar alavancagem e atividades cíclicas.

Levando todas essas coisas em consideração, foi possível realizar uma inferência clara: os provedores de capital estavam competindo para fazê-lo, facilitando suas condições e taxas de juros em vez de exigir proteção e recompensas potenciais adequadas. As sete palavras mais assustadoras do mundo para o investidor atencioso — *muito dinheiro em busca de pouquíssimos negócios* — definem muito bem as condições do mercado naquele momento.

É possível perceber quando há muito dinheiro competindo para ser aplicado. Há um aumento do número de negócios que estão sendo feitos, aumenta também a facilidade de se fazer negócios; o custo do capital diminui; e o preço do ativo que está sendo negociado sobe a cada transação sucessiva. Uma torrente de dinheiro é o que faz tudo isso acontecer.

Se o objetivo do fabricante de carros é vender mais a longo prazo, ou seja, aumentar seu *market share* (participação de mercado) à custa de seus concorrentes, ele precisará melhorar o seu produto. É por isso que (de uma maneira ou de outra) o discurso de venda, em sua maior parte, diz "o nosso produto é melhor". No entanto, existem produtos que não podem ser diferenciados; os economistas os chamam de *commodities*. São bens em que as qualidades ofertadas por um vendedor não são muito diferentes daquelas ofertadas por outro qualquer. Elas tendem a ser

---

30. "Termo que vem do inglês e significa acordo. Trata-se de uma restrição legal imposta aos contratos de emissão de títulos, ou financiamento, nos quais o tomador de crédito tem suas atividades restritas e cujo objetivo é dar mais segurança ao financiador." E. Gama. *Dicionário de finanças empresariais*. Timburi: Cia. do Ebook. (N.T.)

negociadas apenas por seu preço, sendo que os compradores provavelmente aceitarão a oferta que tiver o menor preço. Assim, se você é negociante de *commodities* e deseja vender mais, há, em geral, uma maneira de fazer isso: baixar o preço...

Pode ser bastante útil pensar no dinheiro como uma outra *commodity* qualquer. O dinheiro de qualquer um de nós é praticamente o mesmo. No entanto, as instituições buscam aumentar seu volume de empréstimos, bem como os fundos de *private equity* e os *hedge funds* que buscam aumentar suas comissões; todos querem movimentar mais dinheiro. Então, quando queremos emprestar mais dinheiro — ou seja, fazer com que as pessoas nos procurem, e não nossos concorrentes, para obter empréstimos —, ele precisará ser mais barato.

Uma maneira de baixar o preço de nosso dinheiro é por meio da redução da taxa de juros dos empréstimos. Uma maneira um pouco mais sutil é concordar com um preço mais alto pelo que estamos comprando, por exemplo, pagando um quociente preço/lucro mais alto por uma ação ordinária ou, ao comprarmos uma empresa, um preço total de transação maior. Seja como for, acabamos aceitando um retorno prospectivo menor.

"The race to the bottom" (A corrida
até o fundo), 17 de fevereiro de 2007

Uma tendência que os investidores poderiam ter observado durante esse período perigoso, se estivessem alertas, seria o movimento ao longo do espectro que vai do ceticismo até a credulidade em relação ao que descrevi anteriormente como a bala de prata ou investimento imperdível. Os investidores sensatos poderiam ter notado que o apetite por balas de prata estava aumentando, o que significa que a ganância havia vencido o medo e que estavam diante de um mercado em que o ceticismo estaria ausente, portanto, em um mercado arriscado.

Na última década, os *hedge funds* passaram a ser vistos como extremamente seguros, especialmente aqueles chamados de fundos de "retorno absoluto". Eram do tipo comprado/vendido (*long/short*, em inglês) ou fundos com estratégia de arbitragem[31] que não buscavam altos retornos por meio de apostas "direcionais" sobre a tendência do mercado. Em vez disso, a competência dos gestores ou sua tecnologia permitiria que produzissem retornos consistentes na faixa de 8% a 11%, independentemente do caminho tomado pelo mercado.

Pouca gente reconheceu que esse nível de retornos sólidos era um feito admirável — talvez bom demais para ser verdade (note que isso é exatamente

---

31. Obtenção de lucro pela diferença de taxas ou preços em mercados financeiros ou bolsas de mercadorias. *Long/short* é uma operação de arbitragem entre dois ou mais ativos. (N.T.)

o que Bernard Madoff dizia estar ganhando). Pouca gente se interessou em saber (a) quantos gestores existiam com talento suficiente para produzir esse tipo de milagre, especialmente após a dedução das comissões substanciais de gestão e de *performance*; (b) com quanto dinheiro eles poderiam fazer isso; e (c), em um ambiente hostil, como se comportariam essas apostas altamente alavancadas em pequenas discrepâncias estatísticas (o difícil ano de 2008 nos mostrou que o termo *retorno absoluto* foi utilizado de forma excessiva e má, pois o fundo médio perdeu cerca de 18%).

Conforme descrito longamente no capítulo 6, ouvíamos na época que o risco havia sido eliminado pelos mais novos e maravilhosos instrumentos populares: securitização, *tranching* (dividir em camadas), *selling onward*,[32] desintermediação e dissociação. *O tranching* merece atenção especial. Consiste em alocar o valor e o fluxo de caixa de uma carteira aos investidores em vários níveis de precedência. Os titulares do nível mais alto são os primeiros a serem pagos; assim, desfrutam de maior segurança e aceitam retornos relativamente baixos. Investidores do nível mais baixo estão na posição de "primeiros a perder". Em troca desse maior risco, desfrutam do potencial de rendimentos maiores, constituídos pela sobra após o pagamento dos valores fixos dos níveis mais altos.

Durante o período 2004-2007, surgiu a ideia de que o risco desapareceria se fosse dividido em pequenas partes que seriam vendidas aos investidores mais adequados para mantê-las. Parece mágica. Assim, não é coincidência que as securitizações com *tranching*, das quais tanto se esperava, se tornassem o foco de muitas das piores crises. Não existe nenhuma mágica no mundo dos investimentos.

Fundos de retorno absoluto, alavancagem de baixo custo, investimentos imobiliários sem risco e veículos de financiamento estruturado em *tranches* estavam na moda. O erro de todas essas estratégias tornou-se obviamente claro a partir de agosto de 2007. Percebeu-se que o risco não havia sido banido e que, de fato, estava mais alto por causa da confiança excessiva e do pouco ceticismo dos investidores.

Se os investidores estivessem atentos ao que estava acontecendo e tivessem confiança para agir, o período de 2004 a meados de 2007 teria lhes apresentado uma das maiores oportunidades para vencer o mercado, reduzindo o risco deles. Tudo o que precisavam realmente fazer era medir a temperatura

---

32. *Selling onward* é o processo pelo qual a origem e a posse do crédito são separadas. Depois de originado, os ativos, tais como empréstimos corporativos e hipotecas, são empacotados e vendidos para outros investidores. (N.R.T.)

do mercado durante um período superaquecido e desembarcar enquanto a tendência de alta fosse mantida. Aqueles que conseguiram realizar esse feito exemplificam os princípios do ponto de vista contrário, discutidos no capítulo 11. Os investidores com ponto de vista contrário, que cortaram seus riscos e se prepararam para a crise, perderam menos durante a crise de 2008 e estavam mais bem posicionados para aproveitar as enormes barganhas criadas.

~

Há poucas áreas em que as decisões sobre estratégias e táticas não são influenciadas pelo que vemos em nosso ambiente. O quanto pisamos no acelerador varia, pois depende de a estrada estar cheia ou vazia. O golfista escolhe seu taco de acordo com o vento. A roupa que vestimos para sair varia de acordo com as condições climáticas. Nossas ações de investimento não deveriam estar igualmente afetadas pelo clima de investimento do mercado?

A maioria das pessoas se esforça para ajustar suas carteiras com base no que imaginam que acontecerá no futuro. Ao mesmo tempo, essa mesma maioria admite que o futuro é pouco previsível. Por isso, acredito que devemos responder às realidades do presente e às suas implicações, em vez de ficar esperando que o futuro se torne mais claro.

"It is what it is" (É o que é), 27 de março de 2006

~

GUIA DO HOMEM COMUM PARA AVALIAR O MERCADO

Aqui está um simples exercício que pode ajudá-lo a tirar a temperatura dos mercados futuros. Listei uma série de características do mercado. Para cada par, assinale o termo que lhe parece melhor para descrever o mercado atual. E, se descobrir que assinalou a maioria dos termos da coluna da esquerda, faça como eu e mantenha a cautela.

Economia:	Vibrante	Lenta
Perspectivas:	Positivas	Negativas
Credores:	Ansiosos	Reticentes
Mercado de capitais:	Aberto	Restrito
Capital:	Abundante	Escasso
Condições:	Fáceis	Restritivas

Taxas de juros:	Baixas	Altas
Spread:	Pequeno	Grande
Investidores:	Otimistas	Pessimistas
	Confiantes	Aflitos
	Ansiosos para comprar	Desinteressados em comprar
Titulares de ativos:	Querem mantê-los	Querem vendê-los
Vendedores:	Poucos	Muitos
Mercados:	Lotados	Buscando atenção
Fundos:	Acesso difícil	Aberto a qualquer um
	Novos diariamente	Só os melhores obtêm dinheiro
	Os sócios em nome coletivo[33] dão todas as cartas	Os sócios limitados[34] têm poder de barganha
Desempenho recente:	Forte	Fraco
Preços dos ativos:	Altos	Baixos
Retornos prospectivos:	Baixos	Altos
Risco:	Alto	Baixo
Qualidades populares:	Agressividade	Cautela e disciplina
	Alcance amplo	Seletividade

"It is what it is" (É o que é), 27 de março de 2006

O movimento dos mercados é cíclico, sobem e descem. O pêndulo oscila e raramente para no "bom meio-termo", no ponto médio do arco. Isso será uma fonte de perigo ou de oportunidades? O que os investidores devem fazer quanto a isso? Minha resposta é simples: devemos tentar descobrir o que está acontecendo ao nosso redor e, então, usar isso para guiar nossas ações.

---

33. Os sócios em nome coletivo respondem pelas dívidas de forma ilimitada. (N.T.)
34. Os sócios limitados respondem pelas dívidas de forma limitada. (N.T.)

16

O mais importante é... apreciar o papel da sorte

De vez em quando, alguém faz uma aposta arriscada em um resultado improvável ou incerto e acaba parecendo um gênio. Mas devemos reconhecer que isso aconteceu por causa de sorte e ousadia, não por habilidade.

O mundo dos investimentos não é um lugar ordenado e lógico em que o futuro pode ser previsto e as ações específicas produzem resultados específicos. A verdade é que muito depende da sorte. Alguns podem preferir chamá-la de *acaso* ou *aleatoriedade*, e essas palavras soam mais sofisticadas do que *sorte*. Todas, porém, se resumem ao mesmo: grande parte do sucesso de tudo o que fazemos como investidores será fortemente influenciada pelo lance dos dados.

Objetivando explorar a ideia de sorte por completo, utilizarei, neste capítulo, algumas ideias expostas por Nassim Nicholas Taleb em seu livro *Iludido pelo acaso*. Alguns dos conceitos aqui explorados já haviam ocorrido a mim antes de lê-lo, mas o livro de Taleb reuniu todos e acrescentou outros. Considero-o um dos livros mais importantes para os investidores. Tomei algumas das ideias de Taleb emprestadas para um memorando de 2002 intitulado "Returns and how they get that way" (Rendimentos e como se tornam o que são), que incorporou trechos de *Iludido pelo acaso*, representados a seguir em itálico.

O acaso (ou a sorte) desempenha um papel importante nos resultados da vida, e as consequências que decorrem de eventos aleatórios devem ser vistas como diferentes daquelas que não o são.

Assim, ao considerar se o histórico de um investimento poderá se repetir, é importante pensarmos sobre o papel do acaso nos resultados do gestor, e se o bom desempenho é resultado de sua competência ou se ele apenas teve sorte.

Ganhar 10 milhões na roleta-russa não tem o mesmo valor que ganhar 10 milhões pela prática diligente e habilidosa da odontologia. O valor ganho é o mesmo e pode comprar os mesmos bens, contudo, um depende muito mais do acaso do que o outro. Para o seu contador, porém, eles seriam idênticos... No fundo, não posso deixar de considerá-los como qualitativamente diferentes.

Todos os históricos devem ser considerados à luz dos outros resultados possíveis — Taleb os chama de "histórias alternativas" — que poderiam ter facilmente ocorrido da mesma forma que as "histórias visíveis".

Claramente a forma como julgo as questões é probabilística por natureza; se baseia na noção do que poderia ter acontecido...

Se já ouvimos falar [dos grandes generais e inventores da história], é simplesmente porque eles assumiram riscos consideráveis, como milhares de outros, e acabaram vencendo. Eram pessoas inteligentes, corajosas, nobres (às vezes) e tinham a melhor educação possível de sua época — mas as outras milhares de pessoas, que hoje vivem nas notas de rodapé bolorentas da história, também possuíam as mesmas qualidades.

De vez em quando, alguém faz uma aposta arriscada em um resultado improvável ou incerto e acaba parecendo um gênio. Mas devemos reconhecer que isso aconteceu por causa de sorte e ousadia, não por habilidade.

Pense em um jogador agressivo de gamão que só poderá ganhar se conseguir um duplo seis nos dados, cuja probabilidade de acontecer é de uma em cada 36. O jogador aceita os dados, dobrando a aposta; em seguida, lança-os, obtendo um duplo seis. Poderia ter sido uma aposta imprudente, mas, como ele saiu vitorioso, todos consideram o jogador brilhante. Deveríamos imaginar qual seria a probabilidade de ele ter obtido algo que não fosse o duplo seis e, portanto, na sorte que o jogador precisou ter para vencer. Isso diz muito sobre a probabilidade de o jogador voltar a ganhar...

A curto prazo, os êxitos em relação aos investimentos podem ser apenas o resultado de estar no lugar certo na hora certa. Eu sempre digo que, para obter lucro, precisamos de agressividade, tempo e habilidade, e que alguém bastante agressivo na hora certa não precisa de muita habilidade.

Em um dado momento nos mercados, os gestores mais rentáveis serão provavelmente aqueles que mais se adequaram ao ciclo mais recente. Isso não costuma ocorrer com dentistas ou pianistas — devido à natureza do acaso.

A maneira mais fácil de ver isso é notar que, em períodos de prosperidade, os maiores retornos encontram, muitas vezes, aqueles que assumem maiores riscos. Isso nada diz sobre o fato de essas pessoas serem melhores investidores.

O apêndice de Warren Buffett para a quarta edição revisada de *O investidor inteligente* (livro de Benjamin Graham) descreve um concurso em que cada um dos 225 milhões de americanos começa com 1 dólar e lança uma moeda uma vez por dia. As pessoas que acertam no primeiro dia recolhem um dólar daqueles que erraram; é feito um novo lançamento no segundo dia, e assim por diante. Dez dias depois, 220 mil pessoas acertaram dez vezes seguidas e ganharam 1.000 dólares. "Talvez tentem ser modestas, mas, nas festas, admitirão ocasionalmente, aos membros atraentes do sexo oposto, suas técnicas e os maravilhosos *insights* que podem oferecer para o estudo do lançamento de moedas." Depois de mais dez dias, estamos com 215 sobreviventes que acertaram vinte vezes seguidas e ganharam 1 milhão de dólares cada. Essas pessoas escrevem livros intitulados "Como transformei um dólar em um milhão em vinte dias trabalhando trinta segundos por manhã" e passam a ganhar dinheiro com palestras. Soa familiar?

Assim, o acaso destrói ou contribui para o histórico de resultados de um investimento a um grau que poucas pessoas chegam a apreciar plenamente. Como resultado, subestimam os perigos que se escondem atrás de estratégias que, até agora, funcionaram bem.

Talvez uma boa maneira de resumir as opiniões de Taleb seja por meio de um quadro de seu livro. Ele lista, na primeira coluna, uma série de aspectos que podem ser facilmente confundidos com os aspectos da segundo coluna.

Sorte	*Habilidade*
Acaso	*Determinismo*
Probabilidade	*Certeza*
Crença, conjectura	*Conhecimento, certeza*
Teoria	*Realidade*
Anedota, coincidência	*Causalidade, lei*
Viés de sobrevivência	*Grandes rendimentos*
Tolos sortudos	*Investidor qualificado*

Acredito que essa dicotomização seja brilhante. Todos sabemos que, quando as coisas estão bem, a sorte e a habilidade se confundem. Coincidência e causalidade se tornam parecidas. Um tolo sortudo acaba parecendo um investidor habilidoso. É claro que saber que o acaso pode gerar esse efeito não torna fácil a distinção entre investidores sortudos e investidores habilidosos. Mas devemos continuar tentando.

Tendo a concordar com essencialmente todos os pontos importantes citados por Taleb.

- Os investidores estão certos (e errados) o tempo todo pela "razão errada". Alguém compra uma ação porque espera certo acontecimento; este não ocorre; mesmo assim, o mercado eleva as ações; o investidor parece bom (e costuma aceitar essa consideração).
- Não podemos avaliar se uma decisão está correta com base em resultado. No entanto, é assim que as pessoas a avaliam. Uma boa decisão é a melhor decisão possível que pode ser tomada no ponto em que é realizada, momento em que o futuro é, por definição, desconhecido. Assim, as decisões corretas muitas vezes não têm êxito, e vice-versa.
- O acaso por si só é capaz de produzir quaisquer resultados a curto prazo. Nas carteiras em que os movimentos do acaso são permitidos em sua plenitude, os movimentos do mercado podem facilmente encobrir a habilidade do gestor (ou a falta dela). Certamente os movimentos do mercado não podem ser creditados aos gestores (a menos que vejamos o raro caso de pessoas capazes de adivinhar repetidamente esses movimentos).
- Por essas razões, os investidores costumam receber crédito por algo que não merecem. Um bom golpe de sorte pode ser suficiente para construir toda uma reputação, mas isso claramente depende totalmente do acaso. Poucos desses "gênios" acertaram mais de uma ou duas vezes seguidas.
- Assim, é essencial ter uma grande amostra de casos — muitos anos de dados — antes de analisar a capacidade de um determinado gestor.

"RETURNS AND HOW THEY GET THAT WAY" (RENDIMENTOS E
COMO SE TORNAM O QUE SÃO), 11 DE NOVEMBRO DE 2002

~

A ideia de Taleb de "histórias alternativas" — as outras coisas que poderiam razoavelmente ter acontecido — é um conceito fascinante e particularmente relevante para os investimentos.

A maioria das pessoas reconhece a incerteza que cerca o futuro, mas sente que pelo menos o passado é um dado conhecido e permanente. Afinal, o passado é história, absoluta e imutável. Taleb, entretanto, sugere que as coisas que aconteceram são apenas um pequeno subconjunto das coisas que *poderiam* ter acontecido. Assim, o fato de que uma estratégia ou ação tenha funcionado — sob as circunstâncias que se desenrolaram — não prova necessariamente que a decisão que a motivou fosse sensata.

É possível que o êxito dessa decisão esteja ligado a um evento completamente improvável, que, naquele momento, dependia apenas da sorte. Nesse caso, a decisão — por mais êxito que tenha obtido — talvez tenha sido imprudente, e as muitas outras histórias que poderiam ter acontecido teriam demonstrado o erro.

Quanto crédito deveria receber um decisor por ter apostado em um resultado altamente incerto que, por sorte, teve um final feliz? Essa é uma boa questão e merece ser analisada com maior profundidade.

Uma das primeiras coisas que lembro ter aprendido quando entrei na Wharton, em 1963, foi que a qualidade de uma decisão não é determinada por seu resultado. Os eventos que podem ocorrer após a tomada das decisões as tornam boas ou más; contudo, esses eventos costumam estar muito além de qualquer antevisão. Essa ideia foi extremamente reforçada pelo livro de Taleb. Ele destaca a capacidade do acaso para recompensar decisões imprudentes e penalizar as boas. O que é uma boa decisão? Digamos que alguém decida construir um *resort* de esqui em Miami; três meses depois, uma nevasca estranha atinge o sul da Flórida, deixando 4 metros de neve. Em sua primeira temporada, a área de esqui recebe lucros robustos. Será que isso quer dizer que a ideia de construir o *resort* foi boa? Não.

Uma boa decisão é aquela que uma pessoa lógica, inteligente e bem informada teria tomado sob as circunstâncias *como elas se apresentavam naquele momento, antes de o resultado se tornar conhecido*. Por essa norma, o *resort* de esqui em Miami parece uma loucura.

Assim como acontece com o risco de perder dinheiro, muitas coisas que não podem ser conhecidas ou quantificadas com antecedência irão afetar a percepção da qualidade da decisão tomada. Mesmo após a ocorrência do fato, é difícil saber com certeza quem tomou uma boa decisão baseada em uma análise sólida, mas foi penalizado por uma situação anômala, e quem se beneficiou ao apostar na sorte em investimentos altamente especulativos. Portanto, pode ser difícil saber quem tomou a melhor decisão. Por outro lado, os retornos passados podem ser avaliados de maneira simples, jogando luz naquele que tomou a decisão mais *rentável*. Embora seja fácil confundir as decisões, os investidores alertas precisam estar muito conscientes da sua diferença.

A longo prazo, não há alternativa razoável senão acreditar que as boas decisões acarretam lucros. A curto prazo, no entanto, devemos nos manter impassíveis quando elas não nos trazem lucros.

Uma vez que os investidores da escola do "eu sei", descrita no capítulo 14, acreditam que seja possível conhecer o futuro, também decidem como este será, constroem carteiras projetadas para maximizar os retornos com base nesse cenário e, em grande parte, desconsideram as outras possibilidades. Os "subotimizadores" da escola do "eu não sei", por outro lado, colocam sua ênfase na construção de carteiras que se sairão bem em cenários que consideram prováveis e não muito mal no restante.

Os investidores da escola do "eu sei" preveem o resultado do lance de dados, atribuem seus sucessos à sua astuta intuição sobre o futuro e, quando as coisas não saem do seu jeito, culpam o azar. A pergunta que devemos fazer quando eles estão certos é: "será que realmente tiveram um vislumbre do futuro ou não?". Já que sua abordagem é probabilística, os investidores da escola do "eu não sei" entendem que o resultado depende em grande parte dos deuses e, portanto, que o crédito ou a culpa dos investidores (especialmente no curto prazo) seja algo adequadamente limitado.

A escola do "eu sei" divide, de forma rápida e confiante, seus membros em vencedores e perdedores com base no primeiro ou segundo lance de dados. Os investidores da escola do "eu não sei" entendem que sua habilidade deve ser julgada apenas depois de os dados terem sido lançados muitas vezes, não depois de apenas um lançamento (e que os lances podem ser poucos e distantes no tempo entre si). Assim, eles aceitam que sua abordagem cautelosa e "subotimizada" pode, por certo tempo, produzir resultados indistintos, confiam, no entanto, que somente o longo prazo poderá dizer se são investidores de excelência.

> Os ganhos e as perdas de curto prazo são potenciais impostores, pois nenhum deles indica necessariamente a competência (ou incompetência) real do investidor. Retornos surpreendentemente bons são muitas vezes apenas o outro lado da moeda dos retornos surpreendentemente ruins. Um ano de bons rendimentos pode inflar a competência do gestor e obscurecer o risco que ele assumiu. Ainda assim, as pessoas ficam surpresas quando esse ano de bons resultados é seguido de um ano terrível.
>
> Os investidores costumam esquecer que tanto os ganhos quanto as perdas de curto prazo podem ser impostores, e que é importante esforçar-se muito para entender o que está por trás deles.
>
> Desempenho de investimento é o que acontece com uma carteira quando os eventos se desenrolam. As pessoas prestam bastante atenção no resultado do

desempenho, devem, entretanto, questionar duas coisas: os eventos que acabaram acontecendo (e as outras possibilidades que não ocorreram) eram realmente parte dos conhecimentos do gestor da carteira? A segunda: qual teria sido a *performance* se outros eventos tivessem ocorrido? Esses outros eventos são as "histórias alternativas" de Taleb.

"Pigweed" (Erva daninha), 7 de dezembro de 2006

∾

Considero as ideias de Taleb novas e provocativas. No momento em que entendemos quanto o acaso pode afetar os resultados dos investimentos, tudo passa a ser visto de uma forma bastante diferente.

As ações da escola do "eu sei" fundamentam-se em um único futuro possível, o qual pode ser conhecido e conquistado. As pessoas da minha escola do "eu não sei" veem os eventos futuros em termos de uma distribuição de probabilidades. Essa é uma grande diferença. Neste último caso, podemos ter uma ideia do resultado mais provável, mas também sabemos que há muitas outras possibilidades, e que esses outros resultados podem ter uma probabilidade coletiva muito maior do que o considerado mais provável por nós.

Claramente, a visão de Taleb sobre um mundo incerto é muito mais parecida com a minha forma de vê-lo. Tudo o que eu acredito e recomendo sobre investimentos procede dessa escola de pensamento.

- Devemos gastar nosso tempo tentando encontrar valor no que é possível saber — setores, empresas e ativos —, em vez de basear nossas decisões em expectativas em relação ao menos conhecido, como o cenário macroeconômico mundial e o desempenho do mercado amplo (*broad market,* em inglês).
- Dado que não sabemos exatamente qual futuro ocorrerá, temos de manter o valor do nosso lado, tendo uma opinião forte e bem analisada sobre ele e comprando por menos quando as oportunidades se apresentarem.
- Precisamos investir de forma defensiva, já que provavelmente estaremos na contramão de muitos resultados. É mais importante garantir a sobrevivência durante o período de resultados negativos do que garantir o máximo de retornos em períodos favoráveis.
- Para melhorar nossas chances de êxito, temos de enfatizar a visão contrária à do rebanho nos períodos em que o mercado se encontra nas extremidades,

sendo agressivo quando o mercado está em baixa e cauteloso quando está em alta.

- Dada a natureza altamente indeterminada dos resultados, devemos ver estratégias e seus resultados — bons e ruins — com suspeita até que se mostrem bons (ou ruins) após um grande número de testes.

Muitos aspectos caminham juntos para as pessoas que enxergam o mundo como um lugar incerto: respeito saudável ao risco; consciência de que não sabemos o que o futuro nos reserva; um entendimento de que o melhor que podemos fazer é ver o futuro como uma distribuição de probabilidades e investir de acordo com esse conhecimento; insistência no investimento defensivo; e ênfase em evitar armadilhas. Para mim, é disso que se trata investir de forma sensata.

17

O mais importante é... investir de forma defensiva

> Há investidores velhos e há investidores ousados, mas não há investidores velhos e ousados.

Quando os amigos me pedem conselhos de investimento pessoal, meu primeiro passo é tentar entender sua atitude em relação ao risco e aos retornos. Pedir conselhos de investimento sem especificar esse posicionamento é como pedir um bom remédio a um médico sem lhe contar o que nos incomoda.

Então eu pergunto: "o que é mais importante para você, ganhar dinheiro ou evitar perdas?". A resposta costuma ser a mesma: as duas coisas.

O problema é que não é possível fazer o máximo para conseguir obter lucros e, ao mesmo tempo, evitar perdas. Cada investidor precisa estar bem posicionado em relação a essas duas metas e, em geral, isso requer um equilíbrio razoável. A decisão deve ser tomada de forma consciente e racional. Este capítulo é sobre essa escolha... e minha recomendação.

A melhor maneira de colocar essa decisão em perspectiva é pensar nela em termos de ataque e defesa. E uma das melhores maneiras de considerar isso é com a metáfora esportiva.

Para estabelecer as bases para essa discussão, farei referência ao maravilhoso artigo de Charles Ellis, intitulado "The loser's game" (O jogo dos perdedores), que apareceu no *The Financial Analysts Journal* em 1975. Talvez essa tenha sido minha primeira exposição a uma analogia direta entre investimentos e esportes, e foi fundamental em relação à ênfase que dou à forma defensiva de se investir.

O artigo de Ellis descreveu a análise perceptiva do jogo de tênis feita no livro *Extraordinary tennis for the ordinary tennis player* (Tênis extraordinário para tenistas comuns), escrito pelo doutor Simon Ramo, o "R" da marca TRW, antigo conglomerado de produtos que iam desde peças de automóveis até serviços de avaliação de risco de crédito. Ramo mostrou que o tênis profissional é um "jogo de vencedores", no qual ganha a partida o jogador que conseguir realizar o maior número de golpes vencedores (*winner*): golpes rápidos e bem colocados que o oponente não consegue rebater.

Fora o lançamento absolutamente vencedor (*winner*) do oponente, os tenistas profissionais podem dar os golpes que quiserem durante quase o tempo todo: forte ou leve, no fundo da quadra (*drive*) ou próximo da rede (deixadinha), do lado esquerdo ou direito, chapado (*flat*) ou com giro (*spin*). Os jogadores profissionais não se incomodam com as coisas que tornam o jogo desafiador para os amadores: um quicar estranho; vento; sol nos olhos; limitações de velocidade, resistência e habilidade; ou os esforços de um oponente para colocar a bola fora do alcance. Os profissionais alcançam a maioria dos golpes dados por seus oponentes e, na maior parte do tempo, rebatem a bola da maneira que querem. Na verdade, os profissionais conseguem fazer isso de forma tão consistente que as estatísticas do jogo acompanham as exceções relativamente raras sob o título de "erros não forçados".

Mas o tênis que o resto de nós joga é um "jogo de perdedores", vence o jogador que rebater o menor número golpes perdedores (*losers*). O vencedor mantém a bola em jogo até que o perdedor a acerte na rede ou fora da quadra. Em outras palavras, no tênis amador, pontos não são ganhos, são perdidos. Reconheci, nessa estratégia de evitar perdas, a versão do tênis que tento jogar.

Charley Ellis levou a ideia de Ramo um passo adiante, aplicando-a a investimentos. Suas opiniões sobre a eficiência do mercado e o alto custo de transação o levaram a concluir que a busca por ações vencedoras nos principais mercados de ações dificilmente trará recompensas aos investidores. Em vez disso, é preciso tentar evitar as ações perdedoras. Essa forma de investir é, a meu ver, absolutamente convincente.

A escolha entre investir de forma ofensiva ou defensiva deve basear-se em quanto o investidor acredita estar sob seu controle. Em minha opinião, investir implica muitos aspectos que não estão sob nosso controle.

Os tenistas profissionais têm certeza de que, se fizerem A, B, C e D com os pés, o corpo, os braços e a raquete, a bola fará E na grande maioria das vezes; existem relativamente poucas variáveis aleatórias em operação. Mas investir é cheio de quiques estranhos e acontecimentos inesperados, além disso, as dimensões da quadra e a altura da rede mudam o tempo todo. O funcionamento das economias e dos mercados é altamente impreciso e variável, e os pensamentos e o comportamento dos outros atores fazem com que o ambiente seja modificado de maneira frequente. Mesmo se fizermos tudo corretamente, outros investidores podem ignorar nossas ações favoritas; a gestão pode desperdiçar as oportunidades da empresa; o governo pode mudar as regras; ou a natureza pode nos oferecer uma catástrofe.

Tanta coisa está dentro do controle dos tenistas profissionais que eles realmente devem sempre buscar o golpe vencedor. E é melhor que façam isso, pois, se entregarem bolas fáceis, seus oponentes vão lhes devolver golpes vencedores por conta própria e fazer pontos. Em contraste, os resultados dos investimentos estão apenas parcialmente sob controle dos investidores, e eles podem ganhar um bom dinheiro — e superar seus oponentes — sem tentar golpes difíceis.

A questão é que mesmo os investidores altamente qualificados podem ser culpados de rebater mal, e o golpe extremamente agressivo tem potencial de levá-los a perder a partida. Assim, a defesa — ênfase expressiva em tentar evitar que as coisas deem errado — é uma parte importante do jogo de todos os grandes investidores.

$$\sim$$

Há muitas coisas de que gosto em relação aos investimentos, e a maioria delas também se refere aos esportes.

- *É competitivo* — alguns ganham e outros perdem; a distinção é bastante clara.
- *É quantitativo* — podemos ver os resultados claramente;
- *É uma meritocracia* — a longo prazo, os melhores investidores recebem os melhores retornos.
- *É orientado para o trabalho em equipe* — um grupo eficaz pode realizar mais do que uma pessoa sozinha.
- *É satisfatório e divertido* — sobretudo quando ganhamos.

Esses pontos positivos podem fazer o investimento ser uma atividade muito gratificante. Entretanto, assim como nos esportes, também há pontos negativos.

- Pode haver um prêmio para a agressividade, que não nos presta um bom serviço a longo prazo.
- Quiques azarados podem ser frustrantes.
- O sucesso a curto prazo pode nos levar a ter um reconhecimento generalizado sem atenção suficiente à provável durabilidade e consistência dos resultados.

No geral, acredito que investimentos e esportes sejam bastante semelhantes, assim como as decisões que ambos exigem de nós.

Pense em uma partida de futebol americano. O ataque está com a bola. Ele tem quatro tentativas para avançar dez jardas. Se não o fizer, o árbitro apita. O relógio para. O ataque sai do campo e entram os jogadores da defesa, cujo trabalho é impedir que o outro time avance com a bola.

Será que o futebol americano é uma boa metáfora de seu modo de ver os investimentos? Bem, para mim não é. No mundo dos investimos, não existe o apito do juiz; raramente sabemos quando parar de atacar e começar a defender; e não há intervalos para efetuarmos as mudanças.

Não, eu acho que investir é mais como o futebol que é jogado no resto do mundo. No futebol, os mesmos onze jogadores estão em campo durante praticamente todo o jogo. Não há uma equipe de ataque e uma equipe de defesa. As mesmas pessoas precisam realizar ambas as ações... precisam saber lidar com todas as situações. Coletivamente, esses onze jogadores precisam ter o potencial de fazer gols e impedir que o time adversário faça mais gols que eles.

O treinador de futebol precisa decidir se quer colocar em campo um time que enfatize o ataque (a fim de marcar muitos gols e, de alguma forma, permitir que outro time faça menos gols), a defesa (na esperança de impedir o avanço do outro time e tentar fazer pelo menos um gol), ou um time equilibrado. Os treinadores sabem que não terão muitas oportunidades para trocar seus jogadores ofensivos e defensivos durante o jogo, precisam se esforçar para, já de início, montar uma equipe vencedora e mantê-la praticamente inalterada.

É assim que vejo os investimentos. Poucas pessoas (ou talvez ninguém) têm a capacidade de mudar de tática para se alinhar às condições do mercado no momento correto. Assim, os investidores devem se comprometer com uma estratégia — com sorte, uma que lhes sirva bem em diferentes cenários. Podem resolver ser agressivos, esperando ganhar muito com as ações vencedoras e perder pouco com as perdedoras. Podem enfatizar a defesa, esperando se manter bem em bons momentos e perder menos que os outros em momentos ruins. Ou, ainda, podem manter ataque e defesa em equilíbrio, desistindo, em grande parte, das alterações táticas, tentando vencer pela seleção ótima dos ativos, tanto nos mercados com tendência de alta quanto naqueles com tendência de baixa.

É óbvia a preferência da Oaktree pela defesa. Nos períodos bons, achamos que não há problema em apenas acompanharmos os índices (e, na melhor das hipóteses, podemos até ficar um pouco defasados). Mas mesmo os investidores médios ganham muito dinheiro nos períodos bons, e duvido que muitos gestores sejam demitidos por serem apenas medianos durante as tendências altistas. As carteiras da Oaktree são criadas para ter bons resultados durante os períodos ruins, e é aí que consideramos o desempenho de bons resultados essencial. Obviamente, quando conseguimos nos manter na média durante os períodos bons e termos bons resultados nos períodos ruins, teremos resultados acima da média durante um ciclo completo com volatilidade abaixo da média, e nossos clientes terão bons resultados quando os outros estarão sofrendo.

"WHAT'S YOUR GAME PLAN?" (QUAL É O SEU ESQUEMA DE JOGO?), 5 DE SETEMBRO DE 2003

O que é mais importante para você: marcar pontos ou impedir que seu oponente os marque? Ao investir, você prefere dar golpes vencedores ou prefere tentar evitar os perdedores? (Ou, talvez de forma mais apropriada, como equilibrará ambos?) É muito perigoso não levarmos essas questões em consideração.

E, a propósito, não há escolha certa entre ataque e defesa. Muitos caminhos podem nos levar ao êxito; e a decisão depende de personalidade e inclinações, do quanto acreditamos em nossa capacidade, das peculiaridades dos mercados em que operamos e dos clientes para quem trabalhamos.

~

Em relação aos investimentos, o que é ser ofensivo ou defensivo? O primeiro é de fácil definição: adotar táticas agressivas e de riscos elevados buscando ganhos acima da média. E no que consiste ser defensivo? Em vez de fazer a coisa certa, a principal ênfase do investidor defensivo é não fazer a coisa errada.

Há alguma diferença entre fazer a coisa certa e evitar fazer a coisa errada? Talvez pareçam iguais superficialmente, mas, quando visto com mais atenção, há uma grande diferença entre o entendimento necessário para um e para o outro, e uma grande diferença nas táticas a que os dois conduzem.

Embora a postura defensiva possa aparentar ser somente um pouco mais do que tentar evitar resultados ruins, não é tão negativa ou sem aspirações. Na verdade, ser defensivo pode ser visto como uma tentativa de se obter maiores retornos, muito mais pela prevenção dos prejuízos do que pela conquista de lucros, e muito mais por meio de um progresso consistente, possivelmente moderado, do que por acessos ocasionais de brilhantismo.

Há dois elementos principais no modo defensivo. O primeiro é a exclusão de ativos perdedores das carteiras. A melhor maneira de se realizar isso é com um grande processo de diligência prévia (em inglês, *due diligence*), aplicação de padrões rígidos, exigência de preço baixo e margem generosa de erro (ver mais adiante neste capítulo), bem como menor disposição em apostar na prosperidade contínua, nas previsões excessivamente otimistas e em acontecimentos incertos.

O segundo elemento é escapar dos anos ruins e, especialmente, da exposição ao fracasso durante as crises. Além dos ingredientes descritos anteriormente que nos ajudam a manter os investimentos perdedores fora de nossa carteira, esse aspecto do modo defensivo requer uma diversificação cuidadosa da carteira, limitações sobre o risco geral assumido e uma tendência generalizada para a segurança.

Concentração (o oposto de diversificação) e alavancagem são dois exemplos do modo ofensivo. Embora ofereçam retornos quando funcionam, mostram-se prejudiciais quando não o fazem; isto é, as táticas agressivas oferecem a possibilidade de maiores altas e menores baixas. Se abusarmos delas, no entanto, podem comprometer a sobrevivência de nossos investimentos quando as coisas não derem certo. O modo defensivo, por outro lado, trabalha com a possibilidade de aumento da probabilidade de passarmos ilesos pelos momentos ruins e sobreviver o bastante para conseguir desfrutar das eventuais recompensas por termos investido de forma inteligente.

Os investidores devem se preparar para os acontecimentos desfavoráveis. Há diversas atividades financeiras das quais podemos esperar, na média, um funcionamento razoavelmente bom; no entanto, podem comportar-se mal um dia e nos causar perdas enormes, devido a nossa estrutura precária ou ao excesso de alavancagem.

Mas será que é assim tão simples? É fácil dizer que devemos nos precaver para os dias ruins. Mas quão ruins? Qual é o pior cenário? Devemos estar preparados para enfrentar esse tipo de ocorrência todos os dias?

Como tudo no mundo dos investimentos, não são questões tão simples assim. A quantidade de risco que assumimos depende da quantidade de rendimentos que estamos buscando. O nível de segurança de nossa carteira deve ser baseado em quanto rendimento potencial estamos dispostos a renunciar. Não há respostas certas, apenas trocas entre perdas e ganhos (*trade-offs*). Foi por isso que adicionei a seguinte conclusão em dezembro de 2007: "como garantir a capacidade de sobrevivência em circunstâncias adversas é incompatível com a maximização dos retornos nos períodos bons, os investidores devem escolher entre os dois".

"The aviary" (O aviário), 16 de maio de 2008

O elemento mais importante do investimento defensivo é o que Warren Buffett chama de "margem de segurança" ou "margem de erro" — ele parece utilizar os dois termos sem distingui-los. Esse assunto merece uma discussão mais aprofundada.

Não é difícil realizar investimentos que terão êxito se o futuro se desenrolar conforme o esperado. Há pouco mistério em como lucrar sob a suposição de que a economia adotará certo comportamento e que certos setores e empresas se sairão melhores que outros. Os investimentos rigidamente direcionados podem ser altamente vantajosos quando o futuro se desenrola da maneira esperada.

Mas precisamos pensar sobre o que acontecerá conosco caso o futuro não siga nossas previsões. Em suma, o que faz com que os resultados sejam toleráveis mesmo quando o futuro não corresponde às nossas expectativas? A resposta é: a *margem de erro*.

Pensemos no que acontece quando um credor faz um empréstimo. Não é difícil fazer empréstimos que serão pagos se as condições permanecerem como estão — por exemplo, se não houver recessão e o tomador se mantiver empregado. Mas o que permitirá que esse empréstimo seja pago se as condições se deteriorarem? A resposta é: a margem de erro. Se o tomador ficar desempregado, a probabilidade de pagamento do empréstimo é maior se ele tiver poupança, ativos que possa vender ou fontes alternativas de renda. Essas coisas oferecem ao credor uma margem de erro.

O contraste é simples. O credor que insistir na margem de erro e emprestar apenas a tomadores sólidos sofrerá poucas perdas por falta de crédito. Mas os altos padrões desse credor farão com que ele ou ela desista de oportunidades de empréstimo, as quais serão passadas para aqueles credores que são menos assertivos em relação à qualidade creditícia. O credor agressivo parecerá mais inteligente do que o prudente (e ganhará mais dinheiro) enquanto o ambiente permanecer salutar. A recompensa do credor prudente surgirá nos períodos ruins, na forma de menores perdas de crédito. O credor que insistir na margem de erro não desfrutará do ponto máximo das altas, porém evitará os pontos mínimos das baixas. É o que acontece com aqueles que preferem a defesa.

Eis outro exemplo de margem de erro. Encontramos algo com que esperamos poder chegar a $ 100. Se o comprarmos por $ 90, teremos uma boa chance de obter lucros, bem como uma chance moderada de perda, caso nossas suposições se mostrem muito otimistas. Mas se o comprarmos a $ 70, em vez de $ 90, nossa chance de perda é menor. A redução de $ 20 nos oferece um espaço adicional para estarmos errados e, ainda assim, não perdermos dinheiro. O preço baixo é a fonte mais importante da margem de erro.

Assim, a oposição é simples: tentar maximizar os retornos por meio de táticas agressivas ou nos proteger com a margem de erro. Não há maneira de utilizar plenamente as duas táticas ao mesmo tempo. Qual escolher: o modo ofensivo, defensivo ou alguma mistura dessas duas táticas (e, se este último for o caso, em qual proporção)?

~

Das duas maneiras de atuar como investidor — acumular ganhos excepcionais e evitar perdas —, acredito que a segunda seja a mais confiável. Obter ganhos costuma ter algo a ver com estar certo sobre eventos que acontecerão no futuro, enquanto as perdas podem ser minimizadas quando verificamos a presença de um valor tangível, quando as expectativas do rebanho são moderadas e os preços estão baixos. Minha experiência me diz que a segunda técnica pode ser aplicada de forma mais consistente.

Precisamos atingir um equilíbrio consciente entre a obtenção de retornos e a limitação do risco — ataque e defesa. Na renda fixa, onde comecei minha carreira como gestor de carteiras, os retornos são limitados, evitar perdas é a maior contribuição que o gestor pode oferecer. Como a valorização é realmente "fixa", a única variabilidade está na desvalorização, a qual deve ser evitada. Assim, deixar claro que somos investidores em títulos não é uma questão de quais títulos solventes possuímos, mas, em grande parte, de conseguirmos excluir os insolventes. De acordo com Graham e Dodd, a ênfase na exclusão faz com que o investimento em renda fixa seja uma *arte negativa*.

Por outro lado, nos mercados de renda variável e outras áreas mais orientadas à valorização, evitar perdas não é suficiente; o potencial de retorno também deve fazer parte do presente. Embora o investidor em renda fixa possa utilizar somente o modo defensivo, o investidor que vai além da renda fixa — geralmente em busca de maiores retornos — precisa equilibrar o ataque e a defesa.

A chave está na palavra *equilíbrio*. O fato de os investidores precisarem atacar e defender não significa que devam se manter indiferentes à mistura entre os dois modos. Se desejam mais retornos, geralmente têm de assumir mais incertezas — mais riscos. Se os investidores buscarem retornos mais altos do que podem ser alcançados com os títulos, não atingirão seus objetivos se ficarem presos à prevenção de perdas. É necessário algum ataque; com o ataque surge mais incerteza. A decisão de seguir esse caminho deve ser tomada de forma consciente e inteligente.

~

Talvez mais do que em qualquer outra coisa, as atividades da Oaktree fundamentam-se na defesa. (Mas não excluímos a agressividade, o ataque. Nem tudo em que nos envolvemos é uma arte negativa. Não se pode investir com sucesso em títulos conversíveis, títulos de dívidas de empresas em dificuldades ou imóveis quando não se está disposto a pensar nos dois lados: ganhos e perdas.)

Investir é um mundo carregado de testosterona onde muitas pessoas se imaginam muito boas e pensam no quanto poderão ganhar se conseguirem dar a tacada perfeita e se sair bem. Peça a alguns investidores da escola do "eu sei" que digam o que os torna bons, e ouviremos muito sobre as grandes tacadas que deram no passado e sobre as tacadas "em construção" de sua carteira atual. Quantos deles falam de consistência ou do fato de que seu pior ano não foi tão ruim assim?

Uma das coisas mais marcantes que notei nos últimos 35 anos é o quão breves são as carreiras de investimentos de maior destaque. Não tão curtas quanto as carreiras dos atletas profissionais, porém mais curtas do que deveriam ser em uma profissão que não é fisicamente destrutiva.

Onde estão os principais concorrentes dos dias em que, pela primeira vez, fui gestor de títulos de alto rendimento há uns 25 ou 30 anos? Quase ninguém continua trabalhando. E, surpreendentemente, nenhum de nossos grandes concorrentes da área de títulos de dívida de empresas em dificuldes de quinze ou vinte anos atrás mantém posição de liderança atualmente.

Para onde foram? Muitos deles desapareceram devido a algumas falhas organizacionais, o que tornou seus esquemas de jogo insustentáveis. E o resto se foi porque apostou alto e perdeu.

Isso traz à tona algo que considero um grande paradoxo: não acredito que a carreira de muitos gestores de investimentos termine porque eles não conseguem dar grandes tacadas. Em vez disso, acabam fora do jogo porque costumam errar muito — não porque não tenham um bom número de ativos vencedores, mas porque possuem muitos perdedores. E, ainda assim, muitos gestores insistem em tentar a tacada perfeita. Eles:

- apostam muito alto quando imaginam ter uma ideia vencedora ou uma visão correta do futuro, concentrando suas carteiras em vez de diversificá-las;

- incorrem em custos de transação excessivos, alterando suas carteiras com muita frequência ou tentando antecipar-se ao mercado; e
- posicionam suas carteiras para que ganhem em cenários favoráveis e resultados esperados, em vez de garantir que consigam sobreviver a algum inevitável erro de cálculo ou golpe de má sorte.

Na Oaktree, por outro lado, acreditamos firmemente que "se evitarmos os ativos perdedores, os vencedores cuidarão de si mesmos". Esse tem sido nosso lema desde o início, e sempre o será. Buscamos a média de rebatidas e não as raras "tacadas perfeitas". Sabemos que os outros terão os nomes em manchetes por suas grandes vitórias e temporadas espetaculares. No entanto, esperamos estar sempre no jogo devido a resultados bons e consistentes que produzam clientes satisfeitos.

"WHAT'S YOUR GAME PLAN?" (QUAL É O SEU ESQUEMA
DE JOGO?), 5 DE SETEMBRO DE 2003

As figuras 5.1 e 5.2 (capítulo 5) sugerem que podemos obter lucros quando assumimos o risco. A diferença entre as duas figuras, é claro, é que a primeira não indica a grande incerteza gerada pelo maior risco, enquanto a segunda o faz. Como a figura 5.2 esclarece, os investimentos mais arriscados implicam maiores amplitudes de resultados, incluindo a possibilidade de perdas em vez de ganhos esperados.

Jogar no ataque — tentar apostar nos ativos vencedores, assumindo mais riscos — é uma atividade extremamente intensa. Pode trazer os lucros que buscamos ou profundas decepções. E aqui temos outra coisa a pensar: quanto mais desafiadoras e potencialmente lucrativas são as águas em que pescamos, maior a probabilidade de que tenham atraído pescadores muito qualificados. A menos que nossas competências nos tornem bons competidores, é mais provável que, em vez de pescadores, sejamos as presas. Se não tivermos a competência necessária, não devemos tentar jogar no ataque, correr risco e operar em campos tecnicamente desafiadores.

Além do domínio de habilidades técnicas, para investir agressivamente, também é preciso ter estômago, clientes pacientes (quando somos gestores do dinheiro alheio) e capital confiável. Quando uma situação se tornar adversa, precisaremos dos três componentes para sobreviver. As decisões de investimento podem ter o potencial de dar certo no longo prazo ou em média, mas, sem essas características elencadas anteriormente, é possível que o agressivo não chegue ao longo prazo.

Gerir uma carteira de alto risco é como andar na corda bamba sem rede de proteção. A recompensa pelo êxito pode ser alta e trazer muitas interjeições de admiração. Mas os descuidos podem nos levar à morte.

Em resumo, a obtenção de rendimentos muito altos tem a ver com a ousadia de ser grande... Uma das primeiras e mais importantes decisões do investidor deve ser sobre a questão de quão longe a carteira poderá se aventurar. Quanta ênfase devemos dar à diversificação, evitando as perdas e nos assegurando contra os rendimentos abaixo da média; e quanto devemos sacrificar esses pontos esperando ganhar mais?

Aprendi muito com meu biscoito da sorte favorito: *os cautelosos raramente erram ou escrevem grandes poemas*. É uma faca de dois gumes e, por essa razão, uma frase instigante. A cautela pode nos ajudar a evitar erros, mas também pode impedir que realizemos ações extraordinárias.

Pessoalmente, prefiro gestores cautelosos. Em muitos casos, acredito que é mais fácil evitar as perdas e os anos ruins do que obter êxitos de maneira continuada; portanto, acredito que o controle de risco tenha maior probabilidade de criar uma base sólida de um excelente histórico de investimentos a longo prazo. Os sinais indicadores dos melhores investidores que conheço são investir com medo, a exigência de um bom valor e de uma grande margem de erro, bem como estar ciente do que não se sabe e não se pode controlar.

"Dare to be great" (Ouse ser grande), 7 de setembro de 2006

A escolha entre o ataque e a defesa, como tantas outras neste livro, não possui uma elaboração simples. Por exemplo, considere a seguinte situação problemática: muitas pessoas parecem não querer fazer algo (por exemplo, comprar uma ação, comprometer-se com uma classe de ativos ou investir com um gestor) que, caso não funcione, tenha a possibilidade de prejudicar seus resultados de forma significativa. Mas para que algo, caso funcione, possa ter a possibilidade de ajudar a aumentar os resultados, é preciso realizar esse algo, mesmo que a decisão possa nos prejudicar bastante, caso não funcione.

No mundo dos investimentos, quase tudo é uma faca de dois gumes. Isso vale para as seguintes opções: correr maiores riscos, substituir a diversificação pela concentração e usar alavancagem para ampliar os lucros. A única exceção é a verdadeira habilidade pessoal. Quanto ao resto, se ajuda quando funciona significa que prejudica quando não funciona. É isso que torna a escolha entre ataque e defesa importante e desafiadora.

Muitos veem essa questão como a escolha entre querer mais e se contentar com menos. Para o investidor sensato, no entanto, o resultado observado é que a defesa pode proporcionar bons retornos, alcançados de forma consistente, enquanto o ataque pode ser feito de sonhos que não costumam se tornar realidade. Eu, pessoalmente, prefiro a defesa.

Investir defensivamente pode fazer com que deixemos passar certas oportunidades e pode fazer com que não rebatamos muitos lançamentos. Daremos menos tacadas perfeitas que outros investidores, mas é provável que fracassemos menos. *Investir de forma defensiva* soa muito erudito, mas posso simplificar: devemos investir com medo! Devemos nos preocupar com a possibilidade de perda. Precisamos nos precaver, pois existem muitas coisas das quais nada sabemos. Devemos estar cientes de que, mesmo quando fazemos boas escolhas, podemos ser surpreendidos por má sorte ou eventos imprevisíveis. Investir com medo não nos permite ser arrogantes, porque nos mantém em guarda e faz a adrenalina mental continuar fluindo; nos obriga a requerer uma margem de segurança adequada e aumenta as chances de nossas carteiras estarem preparadas para quaisquer eventualidades. E, caso nada dê errado, os ativos vencedores certamente cuidarão de si mesmos.

"THE MOST IMPORTANT THING" (O MAIS IMPORTANTE), 1º DE JULHO DE 2003

18

O mais importante é...
evitar armadilhas

O investidor precisa fazer apenas algumas poucas coisas
corretas, desde que evite os grandes erros.

WARREN BUFFETT

Tentar evitar perdas nos investimentos, a meu ver, é mais importante do que lutar por grandes êxitos. Embora o êxito possa ser alcançado algumas vezes, os fracassos ocasionais podem ser incapacitantes. O primeiro realiza-se com mais frequência e de forma mais confiável — quando essa estratégia falha, suas consequências são mais toleráveis. Com uma carteira arriscada, uma flutuação descendente pode nos levar a perder a fé ou nos forçar a vender durante as baixas do mercado. Uma carteira com pouquíssimo risco pode nos levar a obter menos rendimentos em um mercado altista, mas ninguém nunca faliu com isso; há destinos muito piores.

~

Para evitar perdas, precisamos entender e evitar as armadilhas que as criam. Neste capítulo, reuni algumas das principais questões discutidas nos capítulos anteriores, esperando que, ao destacá-las em um mesmo lugar, os investidores fiquem mais alertas com relação ao que se apresenta como problemático. O ponto de partida consiste em perceber que existem muitos tipos de armadilhas e aprender a identificá-las.

No meu entendimento, as fontes de erro podem ser divididas principalmente em analíticas/intelectuais ou psicológicas/emocionais. Os primeiros erros são bastante simples: coletamos poucas informações ou elas estão incorretas. Ou talvez apliquemos os processos analíticos incorretos, cometamos erros em nossos cálculos ou omitamos aquilo que deveríamos ter realizado. Há muitos erros desse tipo para que sejam enumerados, e, de qualquer forma, este livro é mais sobre filosofia e mentalidade do que sobre processos analíticos.

Um tipo de erro analítico que eu quero discutir um pouco mais, no entanto, é o que chamo de "falta de imaginação". Com isso, quero dizer a incapacidade de conceber todos os resultados possíveis ou não entender completamente as consequências das ocorrências mais extremas. Eu me estenderei mais nesse assunto na próxima seção.

Muitas das fontes psicológicas ou emocionais de erro foram discutidas em capítulos anteriores: ganância e medo; disposição para suspender as regras da realidade e o ceticismo; ego e inveja; o impulso para buscar altos retornos pela assunção de riscos; e a tendência a superestimarmos nosso conhecimento sobre o futuro. Esses temas discutidos contribuem para que sejam criados cenários de altas e de crises, nos quais a maioria dos investidores se junta para fazer exatamente a mesma coisa errada.

Outra armadilha importante — em grande parte psicológica, mas tão importante que pode constituir sua própria categoria — é a incapacidade de reconhecer ciclos e manias do mercado e caminhar na direção oposta. As extremidades dos ciclos e das tendências não ocorrem com frequência e, portanto, não são fonte frequente de erro; dão origem, contudo, aos maiores deles. O poder da psicologia de rebanho para obrigar todos a se conformar e se submeter ao consenso é quase irresistível, por isso, é importantíssimo que os investidores resistam a essas ideias. Isso também já foi discutido anteriormente.

∿

A "falta de imaginação" — a incapacidade de entender com antecedência a amplitude de todos os resultados possíveis — é particularmente interessante e produz efeitos de muitas maneiras.

Como disse antes, investir consiste inteiramente em lidar com o futuro. Para investir, precisamos ter uma visão de como imaginamos o futuro. Em geral, não temos outra escolha senão supor que será muito parecido com o passado. Assim, é relativamente incomum ouvir alguém dizer que "o quociente preço/lucro médio das ações dos Estados Unidos tem sido de 15 nos últimos cinquenta anos; prevejo, então, que nos próximos anos será de 10 (ou 20)".

Assim, a maioria dos investidores extrapola os eventos do passado — especialmente os eventos do passado recente — para o futuro. Por que os eventos do passado recente? Em primeiro lugar, muitos fenômenos financeiros importantes seguem longos ciclos, o que significa que aqueles que testemunharam algum evento extremo muitas vezes já se aposentaram ou morreram antes da ocorrência do seguinte. Segundo, como disse John Kenneth Galbraith, a memória financeira tende a ser extremamente curta. E terceiro, qualquer possibilidade de trazer o passado à tona é apagada pela promessa de dinheiro fácil que, inevitavelmente, seguirá a moda do momento.

Na maioria das vezes, o futuro é realmente similar ao passado, então a extrapolação não faz mal algum. Entretanto, nos importantes pontos de inflexão, quando o futuro deixa de ser como o passado, a extrapolação fracassa e, nesse momento, perde-se ou deixa-se de ganhar muito dinheiro.

Assim, é importante voltar à observação mordaz de Bruce Newberg sobre a grande diferença entre probabilidade e resultado. As coisas que não deveriam acontecer acontecem. Os resultados de curto prazo podem divergir das probabilidades de longo prazo, e as ocorrências podem ficar concentradas. Por exemplo, um duplo seis nos dados deveria aparecer uma vez a cada 36 lançamentos. Mas ele pode aparecer cinco vezes seguidas e não voltar a surgir nos 175 lançamentos subsequentes; porém, no longo prazo, os resultados mantêm sua frequência devida.

Confiar excessivamente que algo "deveria acontecer" pode nos derrubar quando o evento deixa de ocorrer. Mesmo que compreendamos corretamente a distribuição de probabilidades subjacentes, não podemos confiar que os eventos ocorrerão da forma como deveriam. E o sucesso de nossas ações de investimento não deve depender apenas de resultados que ocorram normalmente; em vez disso, devemos levar os casos anômalos em conta.

Os investidores só fazem investimentos porque esperam que eles deem certo; então, suas análises se concentrarão nos cenários mais prováveis. Mas não devem se concentrar naquilo que deveria supostamente ocorrer em detrimento das outras possibilidades — e, assim, assumir tantos riscos e endividamentos que, ao final, serão arruinados se os resultados forem negativos. A maioria dos colapsos da recente crise de crédito ocorreu porque algo não aconteceu da forma como deveria ter acontecido.

A crise financeira formou-se, sobretudo, porque certos eventos que nunca haviam ocorrido se chocaram com estruturas arriscadas e alavancadas que não haviam sido projetadas para resistir a eles. Por exemplo, os derivativos hipotecários foram projetados e avaliados sob a hipótese de que os preços dos imóveis nunca sofreriam uma queda de preços em todo o território americano, uma vez que isso nunca havia ocorrido no passado (ou, ao menos, desde que os preços passaram a ser monitorados). No momento seguinte, houve uma queda gigantesca em todo o território, e as estruturas construídas sob a hipótese de que isso nunca aconteceria foram dizimadas.

Como um parêntese, vale ressaltar que a suposição de que um evento não pode acontecer tem o potencial de fazê-lo acontecer, já que as pessoas que acreditam em sua não ocorrência passam a se envolver em comportamentos de risco e, assim, alteram o ambiente em que operam. Vinte ou mais anos atrás, o termo *empréstimos hipotecários* estava associado inextricavelmente à palavra *conservador*. Os compradores de imóveis davam uma entrada de 20% a 30% do preço da compra; os pagamentos de hipotecas eram tradicionalmente limitados a 25% da renda mensal; os imóveis eram cuidadosamente avaliados; e, por fim, a renda e a situação financeira dos mutuários precisavam ser comprovadas. Entretanto, quando o apetite por ativos lastreados em hipotecas aumentou na última década — em parte porque as hipotecas sempre tiveram um desempenho muito confiável e porque todos acreditavam que nunca ocorreria um aumento nacional da inadimplência hipotecária —, muitas dessas normas tradicionais foram abandonadas. As consequências não deveriam ter sido surpreendentes.

Isso traz de volta um dilema que devemos contornar. Quanto tempo e capital um investidor deve aplicar para se proteger contra algum desastre improvável? Podemos nos assegurar contra todos os resultados extremos; por exemplo, contra a deflação e a hiperinflação. Isso, contudo, sai caro e o custo prejudicará os retornos dos investimentos quando a proteção não se mostrar necessária, o que se dará na maior parte do tempo. Poderíamos exigir que nossa carteira se saísse bem, em uma reprise de 2008, mas então contaríamos apenas com títulos do tesouro, dinheiro e ouro. Será que é uma estratégia viável? Provavelmente, não. Portanto, como regra geral, é importante evitarmos as armadilhas, mas é preciso haver um limite. Esse limite é diferente para cada investidor.

Há outro aspecto importante na falta de imaginação. Todos sabem que os ativos possuem retornos e riscos esperados e que é possível fazer uma estimativa de seus valores. Mas poucos entendem a correlação entre ativos, isto é, compreender como um ativo reagirá a uma mudança em outro ou que dois ativos reagirão de forma semelhante a uma mudança em um terceiro. Entender e prever o poder da correlação (portanto, as limitações da diversificação) é o principal aspecto do controle de riscos e da gestão de carteiras, no entanto, há muitas dificuldades para executá-los. Não conseguir antecipar corretamente os comovimentos de uma carteira é uma fonte crítica de erro.

Os investidores não costumam avaliar os vínculos comuns que ocorrem em suas carteiras. Todos sabem que, se as ações de um fabricante de automóveis caírem, é possível que as ações de todos os fabricantes diminuam simultaneamente devido a fatores que eles têm em comum. Um número ainda menor de pessoas entende as conexões que poderiam fazer cair todas as ações dos Estados Unidos, ou todas as ações do mundo desenvolvido, ou todas as ações em todo o mundo, ou todas as ações e títulos etc.

Assim, a falta de imaginação consiste, primeiro, em não antecipar as possíveis extremidades dos eventos futuros, e, segundo, em não entender as consequências dos eventos extremos. Na recente crise de crédito, alguns céticos poderiam ter suspeitado que as hipotecas *subprime* se tornariam fortemente inadimplentes, mas não necessariamente que a inadimplência teria consequências que ultrapassariam o mercado hipotecário. Pouca gente previu o colapso do mercado hipotecário; ainda menos pessoas previram que, como resultado, os fundos do mercado monetário e notas comerciais (*commercial paper*, em inglês) seriam comprometidos; ou que os bancos Lehman Brothers, Bear Stearns e Merrill Lynch deixariam de existir como empresas independentes; ou que a General Motors e a Chrysler pediriam falência e exigiriam socorro financeiro.

~

Em muitos aspectos, as forças psicológicas são uma das fontes mais interessantes de equívocos relacionados a investimentos. Podem influenciar sobremaneira os preços dos ativos. Quando alguns investidores passam a ter uma visão extrema que não esteja equilibrada por outras pessoas, essas forças podem fazer os preços subirem ou caírem muito. Essa é a origem das bolhas e das crises.

Como os investidores são prejudicados por essas forças?

- Sucumbindo a elas.
- Ao participar, sem saber, de mercados que foram distorcidos por outros investidores que sucumbiram a elas.
- Ao não tirar vantagem dessas distorções quando elas se fazem presentes.

Será que essas três respostas não são idênticas? Creio que não. Vamos dissecar esses três erros no contexto de uma das forças psicológicas mais insidiosas: a ganância.

Quando a ganância se torna excessiva, os preços dos ativos tendem a ficar muito altos. Isso empurra o retorno prospectivo para baixo e aumenta o risco. Os ativos em questão representam erros desenvolvidos de modo a produzir perdas ou a serem aproveitados.

Dentre os três erros listados, o primeiro, ou seja, sucumbir às influências negativas, significa juntar-se à ganância e comprar. Se o desejo de ganhar dinheiro nos levar a comprar — mesmo que o preço esteja muito alto — com a esperança de que o ativo continue se valorizando ou que a estratégia continue funcionando, estaremos trilhando o caminho da decepção. Se comprarmos quando o preço exceder o valor intrínseco, precisaremos ter muita sorte — o ativo terá de oscilar de supervalorizado para ainda mais supervalorizado — para obter ganhos em vez de perdas. Certamente o preço elevado torna este último mais provável do que o primeiro.

O segundo erro é algo que podemos chamar de "erro por não ter percebido". Pode ser que não estejamos motivados pela ganância; por exemplo, é possível que nosso plano de aposentadoria 401(k) invista no mercado de ações de forma constante e passiva por meio de um fundo de índice. No entanto, quando, mesmo sem saber, participamos de um mercado que se elevou devido à compra indisciplinada de outras pessoas, isso nos traz sérias implicações.

Cada uma das influências negativas — e cada um dos tipos de mercados "errados" — apresenta formas de obtermos benefícios em vez de cometermos erros. Assim, a terceira forma de erro não consiste em fazer a coisa errada, mas em não fazer a coisa certa. Os investidores médios terão sorte se conseguirem evitar armadilhas, já os melhores investidores buscam tirar vantagem delas. A maioria dos investidores espera não comprar, ou talvez até mesmo vender, quando a ganância carrega o preço de uma ação para o alto. Já os melhores investidores vendem a descoberto para lucrar quando o preço cair. Cometer o terceiro erro — por exemplo, não conseguir vender a descoberto uma ação supervalorizada — é um tipo diferente, pois é um equívoco de omissão; provavelmente, uma distração com a qual a maioria dos investidores conseguiria conviver.

~

Conforme mencionei anteriormente, entre as armadilhas atribuíveis à psicologia temos a disposição ocasional dos investidores em aceitar as novas racionalizações que dão origem a bolhas e crises, geralmente por acreditarem que "desta vez será diferente". Nos mercados altistas, o ceticismo inadequado gera frequentemente a ocorrência desse pensamento equivocado, pois os investidores aceitam os seguintes pontos:

- algum novo acontecimento fará o mundo mudar;

- padrões que têm funcionado como norma (como os altos e baixos dos ciclos de negócios) não ocorrerão mais;
- as regras foram mudadas (como, por exemplo, as normas que determinam se as empresas possuem uma boa qualidade creditícia e se vale a pena manter sua dívida); ou
- as normas tradicionais de avaliação não são mais relevantes (incluindo os quocientes preço/lucro para as ações, os *spreads* de rendimento para os títulos ou as taxas de capitalização para os imóveis).

Graças à forma como o pêndulo oscila (ver capítulo 9), esses erros costumam ocorrer simultaneamente quando os investidores se tornam muito crédulos e abandonam o ceticismo.

Há sempre uma explicação racional — talvez até mesmo uma que seja bastante sofisticada — sobre o motivo pelo qual alguma oitava maravilha do mundo funcionará a favor do investidor. No entanto, a pessoa que oferece a explicação geralmente se esquece de mencionar que (a) o novo fenômeno representa um método sem nenhum histórico e (b) requer que as coisas sigam um padrão correto, (c) muitas outras coisas podem acontecer em vez do previsto e (d) muitas delas podem ser desastrosas.

~

Para não pisar em armadilhas, deve-se dar atenção a elas nos primeiros passos. A ganância e o otimismo, juntos, impelem o investidor a buscar estratégias que produzirão altos retornos com baixo risco, a pagar preços elevados por ativos que estão na moda e a segurá-los mesmo depois de terem se tornado extremamente caros, esperando que ainda recebam alguma valorização. Mais tarde, o olhar retrospectivo mostrará a todos o que deu errado: as expectativas eram irrealistas e os riscos foram ignorados. Mas aprender sobre armadilhas passando por experiências dolorosas constitui uma ajuda bastante limitada. A chave é nos anteciparmos a elas. Como exemplo, recorrerei à recente crise de crédito.

Os mercados são uma sala de aula onde as lições são ensinadas todos os dias. O segredo para obter êxito nos investimentos reside na observação e no aprendizado. Em dezembro de 2007, na crise do *subprime* e bem quando seu potencial de contágio para outros mercados começava a ficar claro, comecei a enumerar as lições que imaginava que deveríamos tirar dela. Quando terminei essa tarefa, percebi que não eram apenas lições tiradas da última crise, mas importantes lições que valeriam para sempre. Embora as tenha mencionado em algumas passagens do livro, eu as juntarei aqui.

O que aprendemos — ou deveríamos aprender — com uma crise

- *Muita disponibilidade de capital faz o dinheiro fluir para os lugares errados.* Quando o capital está escasso e é muito demandado, os investidores se veem diante de escolhas de alocação para que deem o melhor uso a seu capital, e suas decisões podem ser tomadas com paciência e disciplina. Mas quando há muito capital e poucas ideias sobre como usá-lo, as pessoas fazem investimentos que não deveriam.
- *Quando o capital flui para onde não deveria ir, coisas ruins acontecem.* Em períodos de mercados de capitais mais rigorosos, os mutuários merecedores são rejeitados. Mas quando há dinheiro de sobra, os mutuários não qualificados recebem ofertas de empréstimos em uma bandeja de prata. Entre os resultados inevitáveis temos a inadimplência, as falências e as perdas.
- *Quando há oferta de capital em excesso, os investidores brigam por oportunidades, aceitando retornos baixos e uma margem de erro bastante minguada.* Quando as pessoas querem comprar, competem como se estivessem em um leilão no qual os preços sobem cada vez mais. Pense bem, leitor, oferecer mais por algo equivale a aceitar menos por seu dinheiro. Assim, as ofertas de compra aos investimentos podem ser vistas como uma demonstração de quão pequeno é o retorno exigido pelos investidores e quanto risco eles estão dispostos a aceitar.
- *O desrespeito generalizado ao risco cria um grande risco.* "Nada pode dar errado." "Nenhum preço é alto demais." "Alguém sempre pagará mais por isso." "Se não agirmos logo, alguém vai comprar." Afirmações como essas indicam a pouca consideração dada ao risco. Nessa versão do ciclo, as pessoas imaginaram que as aquisições do tipo *buyout* seriam capazes de suportar quantias cada vez maiores de alavancagem, porque estavam comprando empresas melhores ou porque seu financiamento tinha cláusulas mais benéficas. Isso os levou a ignorar o risco de acontecimentos desfavoráveis e o perigo inerente às estruturas de capital altamente alavancadas.
- *Uma diligência prévia inadequada leva a perdas.* A melhor defesa contra a perda é uma análise minuciosa e perspicaz, bem como a insistência no que Warren Buffett chama de "margem de erro". Mas, nos mercados aquecidos, as pessoas se preocupam em perder oportunidades, não em perder dinheiro, e a análise cética demorada passa a ser região de velhos retrógrados.

- *Em períodos de efervescência, o capital se destina a investimentos inovadores, muitos dos quais fracassam no teste do tempo.* Os investidores otimistas se concentram no que poderia funcionar, não no que pode dar errado. O entusiasmo assume o controle da prudência, levando as pessoas a aceitar novos produtos de investimento que não entendem. Mais tarde, se questionam sobre o que estavam pensando naquele momento.
- *As falhas ocultas das carteiras podem gerar o movimento em conjunto de preços de ativos aparentemente não relacionados.* É mais fácil avaliar o retorno e o risco de um investimento do que entender como ele se comporta em relação aos outros. A correlação costuma ser subestimada, especialmente pela forma como aumenta durante uma crise. Um portfólio pode parecer diversificado no que diz respeito às classes de ativos, aos setores econômicos e à localização geográfica, mas, em períodos mais difíceis, os fatores não fundamentais, como as *margin calls*, os mercados congelados e o aumento geral da aversão ao risco, podem se tornar preponderantes e afetar tudo da mesma forma.
- *Fatores psicológicos e técnicos podem obstar os fundamentos.* A longo prazo, a criação e a destruição de valor são impulsionadas por certos fundamentos como, por exemplo, tendências econômicas, lucros das empresas, demanda por produtos e competência da gestão da empresa. A curto prazo, entretanto, os mercados são altamente responsivos aos fatores psicológicos e técnicos dos investidores, que influenciam a oferta e a demanda por ativos. Na verdade, acredito que, no curto prazo, a confiança é mais importante que qualquer outra coisa. Tudo pode acontecer nesse sentido, o que pode resultar em situações imprevisíveis e irracionais.
- *Os mercados mudam e invalidam os modelos.* Os relatos das dificuldades dos fundos *quant* fundamentam-se no fracasso dos modelos computacionais e de suas suposições subjacentes. Os sistemas informatizados que gerenciam carteiras tentam lucrar principalmente por meio de padrões que se mantêm historicamente constantes. Eles não são capazes de prever mudanças nesses padrões e não conseguem prever períodos que fujam do normal; portanto, costumam superestimar a fiabilidade das normas passadas.
- *Alavancar aumenta os resultados, mas não agrega valor.* Talvez faça todo sentido usar a alavancagem para aumentar nossos investimentos em ativos a preços de barganha, oferecendo altos retornos esperados ou prêmios de risco generosos. Mas pode ser perigoso usar a alavancagem para comprar mais ativos que ofereçam baixos retornos ou *spreads* de risco estreitos — ou seja, ativos já com preço máximo ou sobreprecificados. Faz pouco sentido usar a alavancagem para tentar transformar retornos inadequados em retornos adequados.

- *Os excessos se corrigem.* Quando os investidores são extremamente otimistas e os mercados estão precificados com excesso de otimismo (*priced for perfection*, em inglês), o cenário de destruição de capital está posto. Isso pode ter como causa o otimismo excessivo dos investidores, porque eventos negativos ocorrem ou simplesmente porque os preços muito altos acabam caindo por seu próprio peso.

Essas onze lições podem ser reduzidas, se assim preferirmos, a apenas uma: atenção ao que acontece no entorno, no que diz respeito ao equilíbrio entre a oferta e a demanda por recursos disponíveis para investir, e esteja alerta com relação à ânsia por gastá-los. Sabemos como é quando há pouquíssimo capital ao redor e muita hesitação em nos desfazer dele: os investimentos que valem a pena imploram por capital, e as atividades podem desacelerar em toda a economia. Chamamos isso de crise de crédito (*credit crunch,* em inglês). Mas o contrário merece a mesma atenção. Não há um termo oficial para isso, então teremos de aceitar o conceito "muito dinheiro em busca de poucas ideias de como usá-lo".

Independentemente de seu nome, o excesso de oferta de capital e a escassez de prudência, conforme a que testemunhamos entre 2004 e 2007 — com seus efeitos perniciosos —, podem ser perigosos para a saúde de nossos investimentos e devem ser reconhecidos e administrados.

"No different this time" (Não é diferente
desta vez), 17 de dezembro de 2007

~

A crise global proporcionou uma grande oportunidade para aprendermos, pois envolveu muitos erros graves e ofereceu as lições enumeradas no meu memorando de dezembro de 2007. Havia armadilhas por toda parte: os investidores estavam despreocupados e até mesmo empolgados nos anos que antecederam a crise. Acreditavam que não havia mais risco e, assim, precisavam se preocupar apenas com a perda de alguma oportunidade e com o fato de não conseguirem acompanhar os outros, mas não com a perda de dinheiro. Investimentos "inovadores", arriscados e não testados, foram adotados em hipóteses frouxas. Deu-se um peso indevido a modelos opacos e "caixas-pretas", a engenheiros financeiros e *quants,* e a históricos de desempenho compilados durante os períodos de calmaria. As alavancagens se empilhavam umas sobre as outras.

Quase ninguém sabia exatamente quais seriam as consequências, mas era possível ter a sensação de que cavalgávamos em direção ao abismo. Embora não fosse possível ter identificado e escapado de certas armadilhas específicas, este era o momento perfeito para reconhecer que muitas estavam à espreita e, assim, adotar uma postura mais defensiva. Não o fazer foi o grande erro da crise.

Tendo chegado a essa conjuntura, o que os investidores poderiam ter feito? As respostas estavam nos seguintes pontos:

- tomar nota do comportamento despreocupado e incauto dos outros;
- preparar-se psicologicamente para uma recessão;
- vender ativos, ou pelo menos os mais propensos a riscos;
- reduzir a alavancagem;
- fazer caixa (e, se você investe para clientes, retornar o dinheiro para eles); e
- adotar um posicionamento mais defensivo para as carteiras.

Qualquer um desses pontos teria ajudado. Embora quase nada tenha tido um bom desempenho durante a crise de 2008, foi possível — como resultado de muita cautela — ter perdido menos do que os outros e sofrido menos. Embora tenha sido quase impossível evitar totalmente as quedas, o desempenho relativo, na forma de perdas menores, foi suficiente para termos suportado melhor a queda e aproveitado mais os benefícios do rebote.

A crise estava repleta de possíveis armadilhas: em primeiro lugar, oportunidades de sucumbir e perder, e, depois, oportunidades de isolar-se e perder a retomada. Em períodos de poucas perdas, as pessoas tendem a pensar no risco como volatilidade e se convencem de que podem conviver com isso. Se fosse a verdade, elas perceberiam os preços mais baixos, investiriam mais nos períodos de baixa e tirariam vantagem dos períodos de recuperação, obtendo benefícios financeiros a longo prazo. Mas se a capacidade de conviver com a volatilidade e manter a compostura é superestimada — e isso é o que costuma acontecer —, esse erro tende a vir à tona quando o mercado está em seu ponto mais baixo. A perda de confiança e da determinação pode levar os investidores a vender no ponto mais baixo, transformando as flutuações descendentes em perdas permanentes e impedindo-os de participar plenamente da subsequente recuperação do mercado. Esse é o maior erro do investidor — o aspecto mais infeliz do comportamento pró-cíclico —, devido à sua permanência e porque tende a afetar grandes parcelas das carteiras.

Uma vez que o comportamento contracíclico foi o elemento essencial para se evitar o efeito pleno da crise recente, comportar-se de forma pró-cíclica era fonte potencial de alguma grande armadilha. Os investidores que mantiveram suas posições altistas (ou as aumentaram) à medida que o mercado subia estavam menos preparados para a crise e para a subsequente recuperação do mercado. Desse modo:

- os declínios tiveram impactos psicológicos máximos;
- as *margin calls* e confiscos de garantias dizimaram os veículos financeiros alavancados;
- os investimentos problemáticos exigiam ações corretivas que mantinham seus gestores ocupados;
- como de costume, a perda de confiança evitou que muita gente fizesse, na hora certa, o que era certo.

Embora seja verdade que não podemos gastar rendimentos relativos, a natureza humana faz com que os investidores defensivos e seus clientes menos traumatizados sintam-se confortáveis quando perdem menos do que outros nos mercados deprimidos. Isso tem dois efeitos muito importantes. Primeiro, permite que eles mantenham sua calma e resistam às pressões psicológicas que muitas vezes levam as pessoas a vender nas baixas. Segundo, tendo melhor estado de espírito e melhor condição financeira, são mais capazes de lucrar com a carnificina, comprando nas baixas. Assim, geralmente se saem melhor durante as recuperações.

Certamente foi isso que aconteceu nos últimos anos. Os mercados de crédito foram particularmente atingidos em 2007-2008, uma vez que tinham sido o foco da inovação, da assunção de riscos e do uso da alavancagem. Como consequência, seus lucros em 2009 foram os melhores de sua história. Sobreviver às quedas e comprar nas baixas foi uma ótima fórmula de obter êxito — especialmente o êxito relativo —, mas, antes, exigia que o investidor fugisse das armadilhas.

～

A fórmula do erro é simples, mas as maneiras como aparece são infinitas — muitas para que possamos enumerá-las. Aqui estão os ingredientes usuais:

- erros nos dados ou no cálculo durante o processo analítico, levando à avaliação incorreta do valor;
- subestimar o leque completo de possibilidades ou suas consequências;
- ganância, medo, inveja, ego, suspensão das regras da realidade, conformismo ou capitulação, ou alguma combinação desses fatores levados ao extremo;

- como resultado, há uma excessiva assunção ou prevenção de riscos;
- os preços divergem significativamente de seu valor; e
- os investidores não percebem essa divergência e, talvez, contribuam para o seu incremento.

Geralmente, pensadores astutos e prudentes de segundo nível tomam nota do erro analítico, bem como da falha de outros investidores, e reagem de forma adequada. Detectam ativos sobreprecificados ou subprecificados em mercados aquecidos ou desaquecidos demais. Criam um percurso para evitar os erros que os outros estão cometendo e, com sorte, tiram vantagem disso. O desfecho do erro nos investimentos é algo simples de se descrever: preços que diferem do valor intrínseco. Detectá-los e agir sobre eles são questões bens menos simples.

O fascinante e desafiador é que o erro circula. Às vezes, os preços estão muito altos; outras vezes, muito baixos. De vez em quando, a divergência entre preço e valor afeta ativos individuais; em outras ocasiões, mercados inteiros — ora um mercado, ora outro. Em alguns momentos, o erro reside em uma ação, às vezes, em uma omissão, outras ainda em ser otimista ou pessimista.

E, claro, por definição, a maioria das pessoas aceita e segue o erro, já que sem sua concordância ele não poderia existir. Agir na direção oposta requer a adoção de um ponto de vista contrário, que, por longos períodos, nos faz ser solitários e conviver com a sensação de estarmos errados.

Assim como as outras tarefas discutidas neste livro, evitar armadilhas, identificar erros e agir são atitudes que não estão sujeitas a regras, algoritmos ou mapas. Quero encorajar a atenção, a flexibilidade, a adaptabilidade e uma mente voltada às pistas deixadas pelo ambiente que nos rodeia.

Uma maneira de melhorar os resultados dos investimentos (que buscamos aplicar na Oaktree) é buscar o "erro do dia de hoje" e tentar evitá-lo.

Há momentos em que o provável erro consiste em:

- não comprar;
- não comprar o suficiente;
- não fazer um último lance em um leilão;
- guardar muito dinheiro;
- não se alavancar o bastante;
- não correr riscos o suficiente.

Não acredito que isso descreva o que ocorreu em 2004. Alguém que está prestes a passar por uma cirurgia cardíaca nunca dirá que seu maior desejo era ter ido mais ao escritório. Ora, da mesma forma, acredito que nos próximos anos ninguém vai dizer em retrospectiva que seu maior desejo era ter investido mais em 2004. Na verdade, acredito que os erros deste ano foram:

- comprar demais;
- comprar de forma muito agressiva;
- fazer o último lance quando deveria ter parado;
- usar muita alavancagem;
- assumir muito risco na busca por retornos extraordinários.

Há momentos em que os erros são de omissão: coisas que deveríamos ter feito, mas não fizemos. Os erros atuais são provavelmente de comissão: as coisas que não deveríamos ter feito, mas fizemos. Há momentos para a agressividade. Acredito que o momento atual seja de cautela.

"RISK AND RETURN TODAY" (RISCO E RETORNO NA
ATUALIDADE), 27 DE OUTUBRO DE 2004

Por fim, é importante ter em mente que, além dos momentos em que os erros são de comissão (por exemplo, comprar) e momentos em que são de omissão (não comprar), há momentos em que não há erros evidentes. Quando a psicologia dos investidores, o medo e a ganância estão equilibrados, os preços dos ativos provavelmente são justos em relação ao valor. Nesse caso, talvez não seja necessário fazer algo, e é importante saber isso também. Quando não há nada particularmente inteligente para se fazer, a armadilha potencial está em insistir em ser inteligente.

19

O mais importante é... agregar valor

> O desempenho dos investidores que agregam valor é assimétrico. A porcentagem de ganhos que obtêm do mercado é maior do que a porcentagem de perdas que sofrem... Só podemos contar com a habilidade para agregar mais valor em ambientes favoráveis do que para perder em ambientes hostis. Essa é a assimetria que buscamos.

Não é difícil apresentar um desempenho igual ao do mercado em termos de risco e retorno. O difícil é apresentar um desempenho melhor do que o do mercado: agregar valor. Isso exige uma maior habilidade e percepção sobre os investimentos. Então, neste ponto, quase no final do livro, damos um giro de 360° e voltamos ao primeiro capítulo e à habilidade excepcional dos pensadores de segundo nível.

O objetivo deste capítulo é explicar o que significa agregar valor para os investidores habilidosos. Para isso, vou introduzir dois termos da teoria do investimento. Um deles é o *beta*, uma medida da sensibilidade relativa de uma carteira aos movimentos do mercado. O outro é o *alfa*, que eu defino como a habilidade individual de investir ou a capacidade de gerar desempenho que não está relacionado aos movimentos do mercado.

~

Conforme mencionei anteriormente, obter os mesmos rendimentos do mercado é algo fácil. Um fundo de índice passivo produzirá exatamente esse resultado, posicionando todos os ativos em um determinado índice de mercado em proporção à sua capitalização. Assim, ele espelha as características do índice selecionado — por exemplo, potencial de ganho, risco de perda, beta ou volatilidade, crescimento, preço caro ou barato, qualidade ou falta de qualidade — e garante esse retorno. É o símbolo do investimento sem valor agregado.

Digamos, então, que todos os investidores de ações comecem não com uma folha de papel em branco, mas com a simples possibilidade de emular algum índice. Esses investidores podem comprar passivamente uma quantidade ponderada pela capitalização de mercado de cada ação que compõe o índice, nesse caso, seu desempenho será o mesmo do índice. Ou podem tentar bater o desempenho do mercado por meio de investimentos ativos.

Os investidores ativos possuem uma série de opções disponíveis. Primeiro, podem decidir se sua carteira será mais agressiva ou mais defensiva do que o índice, seja em uma base permanente ou em uma tentativa de antecipar-se ao mercado (*market timing*). Se os investidores optarem pelo caminho da agressividade, por exemplo, podem aumentar a sensibilidade ao mercado de suas carteiras, aumentando o peso das ações do índice que costumam flutuar mais do que as outras ou utilizando alavancagem. Essas atitudes elevarão o risco "sistemático" da carteira, ou seja, seu beta (no entanto, a teoria diz que, embora isso possa aumentar o retorno de uma carteira, o diferencial de retorno será totalmente explicado pelo aumento do risco sistemático assumido. Assim, essas atitudes não melhorarão o retorno ajustado ao risco da carteira).

Em segundo lugar, os investidores podem resolver desviar-se do índice para explorar sua capacidade de selecionar ações — comprando uma maior quantidade de ações do índice, diminuindo o peso de algumas ou excluindo outras e adicionando ações que não fazem parte do índice. Ao fazê-lo, alterarão a exposição de suas carteiras a eventos específicos que ocorrem em certas empresas e, assim, a movimentos de preços que afetam apenas determinadas ações, não todo o índice. Como a composição dessas carteiras diverge do índice por razões "não sistemáticas" (podemos dizer "peculiares"), seu retorno também se desviará. A longo prazo, no entanto, a menos que os investidores tenham origem em uma percepção excepcional, esses desvios serão desfeitos e seu desempenho ajustado ao risco convergirá ao do índice.

Os investidores ativos que não possuem uma percepção excepcional, descrita no capítulo 1, não são melhores do que os investidores passivos, e o desempenho de suas carteiras não deverá ser melhor do que o de uma carteira passiva. Eles podem se esforçar, agarrar-se ao ataque ou à defesa, ou negociar uma tempestade, mas seu desempenho ajustado ao risco não deverá ser melhor do que o de uma carteira passiva (e poderia ser pior devido aos riscos não sistemáticos assumidos e aos custos de transação que são inúteis).

Isso não significa que, se o índice de mercado subir 15%, todos os investidores ativos que não agregam valor obterão retornos de 15%. Todos eles possuirão diferentes carteiras ativas, e algumas terão um desempenho melhor do que outras... mas não de forma consistente ou confiável. Coletivamente, refletirão a composição do mercado, mas cada uma terá suas peculiaridades.

Investidores favoráveis ao risco e agressivos, por exemplo, devem ganhar mais do que o índice nos períodos bons e perder mais nos períodos ruins. É aqui que entra o beta. Pela palavra *beta*, a teoria se refere à volatilidade relativa ou à sensibilidade relativa do retorno da carteira em relação ao retorno do mercado. Espera-se que uma carteira com beta acima de 1 seja mais volátil do que o mercado de referência, e outra com beta abaixo de 1 seja menos volátil. Quando multiplicamos o retorno do mercado pelo beta, obtemos o retorno esperado de uma determinada carteira, excluindo-se as fontes não sistemáticas de risco. Se o mercado subir 15%, uma carteira com beta de 1,2 deverá oferecer retornos de 18% (mais ou menos alfa).

A teoria analisa essas informações e diz que o maior retorno é explicado pelo aumento do beta ou do risco sistemático. Também diz que os retornos não aumentam para compensar outro risco senão o sistemático. Por que não? Segundo a teoria, o risco que os mercados compensam é apenas aquele considerado intrínseco e inescapável em um investimento: o risco sistemático ou "não diversificável". O resto do risco vem das decisões de manter certas ações específicas: o risco não sistemático. Mas se esse risco pode ser eliminado por meio da diversificação, por que os investidores devem ser compensados, recebendo maiores retornos, por assumi-los?

De acordo com a teoria, então, a fórmula para explicar o desempenho da carteira (y) é o seguinte:

$$y = \alpha + \beta x$$

Aqui α é o símbolo para alfa, β significa beta, e x é o retorno do mercado. O retorno de uma carteira é igual ao seu beta multiplicado pelo retorno de mercado, e o alfa (retorno relacionado à habilidade) é adicionado para se obter o retorno total (a teoria, obviamente, diz que o alfa não existe).

Embora eu não aceite a identidade entre risco e volatilidade, insisto em considerar o retorno de uma carteira à luz de seu risco global, como discutido anteriormente. Um gestor que ganhou 18% com uma carteira de risco não é necessariamente melhor do que alguém que tenha obtido 15% com uma carteira de menor risco. O retorno ajustado ao risco é a chave, mas a única ferramenta de que dispomos para calibrá-lo é o acompanhamento da volatilidade; eu creio que a melhor forma de avaliar o risco se desenvolve de forma subjetiva, não com cálculos científicos.

Claro, também não aceito a ideia de que o termo alfa da equação deva ser zero. A habilidade de investimento existe, embora nem todos a tenham.

Somente considerando o retorno ajustado ao risco podemos determinar se um investidor possui uma percepção excepcional, ou habilidade de investimento, ou alfa; se é capaz de agregar valor.

O modelo alfa/beta é uma excelente maneira de avaliar carteiras, gestores de carteiras, estratégias de investimento e esquemas de alocação de ativos. É uma maneira organizada para calcularmos que parte do retorno tem origem no ambiente e quanto vem do valor agregado do gestor. Por exemplo, é óbvio que este gestor não possui nenhuma habilidade:

Período	Retorno: *Benchmark*	Retorno: Carteira
1	10	10
2	6	6
3	0	0
4	–10	–10
5	20	20

Mas nem este gestor (que se move apenas metade do *benchmark*):

Período	Retorno: *Benchmark*	Retorno: Carteira
1	10	5
2	6	3
3	0	0
4	–10	–5
5	20	10

Ou este (que se move duas vezes mais):

Período	Retorno: *Benchmark*	Retorno: Carteira
1	10	20
2	6	12
3	0	0
4	–10	–20
5	20	40

Este tem um pouco:

Período	Retorno: *Benchmark*	Retorno: Carteira
1	10	11
2	6	8
3	0	–1
4	–10	–9
5	20	21

Enquanto este tem muito:

Período	Retorno: *Benchmark*	Retorno: Carteira
1	10	12
2	6	10
3	0	3
4	–10	2
5	20	30

Este é extraordinário, caso seja capaz de suportar a volatilidade:

Período	Retorno: *Benchmark*	Retorno: Carteira
1	10	25
2	6	20
3	0	–5
4	–10	–20
5	20	25

O que está claro nessas tabelas é que "vencer o mercado" e ser "um grande investidor" não são sinônimos — veja os anos um e dois no terceiro exemplo. Não é apenas o retorno que importa, mas também o risco que assumimos para obtê-lo.

"RETURNS AND HOW THEY GET THAT WAY" (RENDIMENTOS E COMO SE TORNAM O QUE SÃO), 11 DE NOVEMBRO DE 2002

∿

É importante termos em mente essas considerações ao avaliarmos a habilidade de um investidor e ao compararmos o histórico de um investidor defensivo e o de um investidor agressivo. Podemos chamar esse processo de *ajuste de estilo*.

Em um ano ruim, os investidores defensivos perdem menos do que os agressivos. Eles agregaram valor? Não necessariamente. Num ano bom, os investidores agressivos ganham mais do que os defensivos. Eles fizeram um trabalho melhor? Poucas pessoas diriam que sim sem analisar mais profundamente.

Um único ano não diz quase nada sobre a habilidade do gestor, especialmente quando os resultados estão alinhados ao que seria esperado com base no estilo do investidor. Significa relativamente pouco que um investidor agressivo obtenha rendimentos altos em um mercado em ascensão ou que um investidor conservador seja capaz de minimizar as perdas em um mercado em queda. A verdadeira questão é como eles se saem a longo prazo e em locais em que seu estilo é inadequado.

O seguinte quadro conta essa história.

	Investidor agressivo	Investidor defensivo
Sem habilidade	Ganha muito quando o mercado sobe e perde muito quando o mercado cai.	Não perde muito quando o mercado cai, mas não ganha muito quando o mercado sobe.
Com habilidade	Ganha muito quando o mercado sobe, mas não perde no mesmo grau quando o mercado cai.	Não perde muito quando o mercado cai, mas obtém uma boa parte dos ganhos quando o mercado sobe.

A chave dessa matriz é a simetria ou assimetria do desempenho. Os investidores que não têm habilidade ganham somente o retorno do mercado de acordo com os ditames de seu estilo. Sem habilidade, os investidores agressivos se movem muito em ambas as direções, e os investidores defensivos se movem pouco em qualquer direção. Esses investidores não contribuem com nada além de sua escolha de estilo. Eles se saem bem quando seu estilo os favorece e mal quando não os favorece.

Por outro lado, o desempenho dos investidores que agregam valor é assimétrico. A porcentagem dos ganhos do mercado que obtêm é maior do que a porcentagem de perdas que sofrem. Os investidores agressivos com habilidade se dão bem nos mercados com tendência altista, mas não perdem tudo o que ganharam nos mercados com tendência de baixa; enquanto os investidores defensivos com habilidade perdem relativamente pouco nos mercados com tendência de baixa e participam razoavelmente bem dos mercados com tendência altista.

Tudo no ramo dos investimentos é uma faca de dois gumes que opera simetricamente, com exceção da habilidade superior. Só podemos contar com a habilidade para agregar mais valor em ambientes favoráveis do que para perder em ambientes hostis. Essa é a assimetria que buscamos. Habilidade superior é *o* pré-requisito para isso.

~

Veja como descrevo as aspirações de desempenho da Oaktree:

Nos anos em que o mercado está bom, basta sermos medianos. Todo mundo ganha dinheiro nos bons anos; ainda não encontrei ninguém que pudesse me explicar de forma convincente o motivo pelo qual é importante bater o mercado quando o mercado está bem. Não, nos anos bons basta ficarmos na média.

Há períodos, contudo, em que consideramos essencial vencer o mercado: isso ocorre nos anos em que o mercado está ruim. Nossos clientes não desejam suportar todo o peso das perdas quando essas ocorrerem, e nós também não.

Assim, nosso objetivo é ter um desempenho igual ao do mercado quando ele vai bem e melhor do que o do mercado quando ele vai mal. À primeira vista, isso pode soar como um objetivo modesto, mas é realmente muito ambicioso.

Para manter-se alinhada com o mercado quando ele vai bem, uma carteira precisa incorporar uma boa quantidade de beta e correlação com o mercado. Ora, se o beta e a correlação nos ajudam nas altas, não seria de se esperar que eles nos prejudicassem nas baixas?

Quando, de forma consistente, somos capazes de perder menos que o mercado nas quedas e também participar plenamente quando o mercado sobe, isso só pode ser atribuído a uma causa: alfa ou habilidade.

Esse é um exemplo de investimento de valor agregado, e quando ocorre ao longo de décadas, só pode ser explicado pela habilidade do gestor. A assimetria deve ser o objetivo de todo investidor.

20

O mais importante é...
juntar tudo

A melhor base para o êxito de um investimento — ou o êxito de uma carreira de investimentos — é o valor; ter uma boa ideia do quanto vale aquilo que queremos comprar. Há muitos componentes e muitas maneiras de analisar o tema. De forma extremamente simplificada: o caixa do balanço patrimonial e o valor dos ativos tangíveis, e a capacidade da empresa ou do ativo para gerar caixa; por fim, a possibilidade de que essas coisas aumentem.

∼

Para obtermos resultados extraordinários nos investimentos, precisamos ter uma percepção extraordinária do valor. Assim, devemos aprender coisas que os outros não sabem, ver as coisas de forma diferente ou analisá-las melhor — idealmente, todas as três.

∼

Nosso entendimento sobre o valor deve basear-se em fundamentos sólidos, factuais e analíticos, e precisamos mantê-lo firmemente. Somente assim saberemos quando comprar ou vender. Apenas um forte senso de valor nos dará a disciplina necessária para obter lucros de um ativo extremamente sobrevalorizado e cujo preço todos imaginam que continuará aumentando sem parar ou a coragem para mantermos nossa posição e comprar mais ações ao preço mais baixo (fazer preço médio) durante uma crise, mesmo que os preços mantenham uma queda diária. Claro, para que os nossos esforços nesses aspectos sejam lucrativos, nossa avaliação do valor precisa ser exata.

∼

A relação entre preço e valor detém a chave final para se obter êxito nos investimentos. Comprar abaixo do valor é a rota mais confiável para se obter lucro. Pagar acima do valor não costuma funcionar tão bem.

≈

O que faz com que um ativo seja vendido abaixo de seu valor? Existem boas oportunidades de compra principalmente porque nossa percepção costuma subestimar a realidade. Diferentemente da alta qualidade, que pode ser facilmente avaliada, a percepção aguçada é capaz de detectar a subprecificação. Por essa razão, os investidores costumam confundir o mérito objetivo de um ativo e uma boa oportunidade de investimento. Os melhores investidores nunca esquecem que estão atrás de boas compras, não de bons ativos.

≈

Além de dar origem ao potencial de lucro, comprar quando o preço está abaixo do valor adiciona um elemento importante para a limitação do risco. Pagar mais pelo alto crescimento de um ativo e participar de um mercado aquecido não são capazes de fazer o mesmo.

≈

A relação entre preço e valor é influenciada por fatores psicológicos e técnicos, forças que podem dominar os fundamentos no curto prazo. As oscilações extremas no preço devido a esses dois fatores oferecem oportunidades para grandes lucros ou grandes erros. Para se obter o primeiro e não o segundo, devemos insistir no conceito de valor e lidar com os fatores psicológicos e técnicos.

≈

Economias e mercados passam por ciclos de altas e baixas. Seja qual for a tendência do momento, a maioria das pessoas costuma acreditar que será mantida da mesma forma para sempre. Esse pensamento induz a grande perigo, pois envenena os mercados, leva as valorações a pontos extremos e estimula as bolhas e o pânico, cujo enfrentamento se mostra muito difícil para a maioria dos investidores.

Da mesma forma, a psicologia de rebanho dos investimentos se move em um padrão regular, similar à oscilação de um pêndulo — do otimismo ao pessimismo; da credulidade ao ceticismo; do medo de perder a oportunidade ao medo de perder dinheiro; e, portanto, do entusiasmo para comprar à urgência de vender. A oscilação do pêndulo leva o rebanho a comprar a preços altos e vender a preços baixos. Por isso, fazer parte do rebanho é uma fórmula para o desastre, enquanto ter um ponto de vista contrário nas extremidades das oscilações nos ajudará a evitar as perdas e, ao final, nos trará êxito.

Em particular, a aversão ao risco — a qual, em níveis apropriados, é *o* ingrediente essencial em um mercado racional —, às vezes, é pouca e, outras, excessiva. A flutuação do fator psicológico dos investidores nesse sentido desempenha um papel muito importante na criação de bolhas e crises econômicas.

Não devemos nunca subestimar o poder das influências psicológicas. Ganância, medo, suspensão das regras da realidade, conformismo, inveja, ego e capitulação fazem parte da natureza humana, e sua capacidade de influenciar nossas ações atinge profundidades, especialmente quando estão em pontos extremos e são compartilhadas pelo rebanho. Influenciarão os outros, e o investidor sensato também vai senti-los. Nenhum de nós deve achar que é imune ou que está longe de sua influência. Embora os sintamos, não devemos sucumbir; em vez disso, devemos reconhecê-los pelo que são e lutar contra eles. A razão deve superar a emoção.

A maioria das tendências — tanto as altistas quanto as de baixa — acaba passando do ponto, beneficiando aqueles que as reconhecem logo no início e penalizando os últimos a aderir. Este é o raciocínio por trás do meu lema número 1 sobre investimentos: "tudo que o sábio faz no início o tolo faz no final". A capacidade de resistir aos excessos é rara, mas é um atributo importante dos investidores de maior êxito.

É impossível saber quando um mercado superaquecido vai declinar, ou quando uma recessão terminará, dando lugar à retomada da valorização. Embora seja impossível saber para onde estamos indo, é importante sabermos em que ponto estamos. Podemos inferir o ponto em que os mercados se encontram em seu ciclo a partir do comportamento daqueles ao nosso redor. Quando os outros investidores não estão preocupados, devemos ser cautelosos; quando os investidores estão em pânico, devemos nos tornar agressivos.

～

Nem mesmo o ponto de vista contrário, no entanto, produzirá lucros o tempo todo. As grandes oportunidades de compra e venda associam-se a extremos de valorização, e, por definição, não ocorrem todos os dias. Também compramos e vendemos em pontos menos atraentes do ciclo, já que poucos de nós podem se contentar em atuar apenas uma vez a cada poucos anos. Devemos reconhecer quando as chances de êxito são menos favoráveis e caminhar com mais cautela.

～

Os melhores resultados são obtidos provavelmente quando se compra com base em valor sólido, preço baixo em relação ao valor e em um ambiente cuja disposição psicológica dos investidores está deprimida. Mesmo assim, entretanto, as coisas podem se manter contrárias a nós por um longo tempo antes de começarem a se comportar da maneira que, segundo nossa convicção, deveriam ser. *Subprecificado* está longe de ser sinônimo de *aumentará em breve*. Assim, a importância do meu segundo lema: "Não há distinção entre estar muito à frente de seu tempo e estar errado". Será preciso muita paciência e força para manter as mesmas posições pelo tempo necessário para que se mostrem corretas.

～

Além de poder quantificar o valor e adquiri-lo quando estiver precificado corretamente, os investidores de êxito devem ter uma abordagem sólida sobre o risco. Precisam ir muito além da definição acadêmica de risco como volatilidade e entender que o risco que mais importa é o da perda permanente. Eles precisam rejeitar o aumento da posição de risco como uma fórmula infalível para se obter êxito nos investimentos e entender que os investimentos mais arriscados implicam um maior leque de resultados possíveis e uma maior probabilidade de perda; precisam ter noção do potencial de perda que está presente em cada investimento e estar dispostos a assumi-lo apenas quando a recompensa for mais do que adequada.

◇

A maioria dos investidores é simplista, somente se preocupa com a possibilidade de se obter retornos. Alguns acabam ganhando uma melhor percepção e aprendem que é tão importante entender o risco quanto o retorno. Mas é o raro investidor que alcança a sofisticação necessária para apreciar a correlação, um elemento-chave no controle do risco de uma carteira global. Devido às diferenças na correlação, certos investimentos individuais que possuem o mesmo risco absoluto podem ser combinados de diferentes maneiras, formando carteiras com níveis de risco totais muito diferentes. A maioria dos investidores acha que a diversificação consiste em deter muitos ativos diferentes; poucos entendem que a diversificação só é eficaz quando os componentes de uma carteira respondem diferentemente a um mesmo evento de seu entorno.

◇

O investimento agressivo pode produzir resultados empolgantes quando dá certo — especialmente nos períodos bons —, porém, é improvável que gere ganhos tão confiáveis quanto os do investimento defensivo. Assim, a baixa incidência e a pouca gravidade das perdas são parte dos melhores históricos de investimentos. O lema da Oaktree, "Se evitarmos os perdedores, os vencedores cuidarão de si mesmos", nos serviu bem ao longo dos anos. Uma carteira diversificada de investimentos na qual se torna improvável que cada um dos ativos individuais produza perdas significativas é um bom começo para o êxito do investimento.

◇

O controle de riscos é o fundamento do investimento defensivo. Em vez de apenas tentar fazer a coisa certa, a ênfase do investidor defensivo é não fazer a coisa errada. Como garantir a capacidade de sobrevivência em circunstâncias adversas é incompatível com a maximização dos retornos nos períodos bons, os investidores devem escolher qual equilíbrio querem entre os dois. O investidor defensivo escolhe o primeiro.

~

Margem de erro é um elemento crítico no investimento defensivo. A maioria dos investimentos terá êxito se o futuro se desenrolar conforme se espera, mas, se o futuro não ocorrer da forma esperada, precisamos ter uma margem de erro para que os resultados sejam toleráveis. Um investidor pode obter margem de erro ao insistir na existência de um valor tangível e duradouro, aqui e agora; ao comprar somente quando o preço está bem abaixo de seu valor; ao evitar alavancagem; por meio da diversificação. Enfatizar esses elementos amplia a possibilidade de limitar seus ganhos nos períodos bons, mas também maximizará suas chances de manter-se intacto quando as coisas não estiverem bem. Meu terceiro lema favorito é: "Nunca se esqueça do homem de 1,80 metro de altura que se afogou cruzando o córrego cuja profundidade era, em média, de 1,50 metro!". A margem de erro nos oferece o poder de permanência e de sobrevivência nos pontos mais fundos.

~

O controle de risco e a margem de erro devem estar presentes em nossas carteiras o tempo todo. Mas devemos nos lembrar de que eles representam "ativos ocultos". A maior parte dos anos nos mercados é boa; é apenas nos anos ruins (quando a maré está baixa) que o valor da defesa se torna evidente. Assim, durante os anos bons, os investidores defensivos devem se contentar sabendo que seus ganhos, ainda que sejam inferiores aos máximos, foram obtidos com proteção de risco em vigor, mesmo que ela não tenha sido necessária.

~

Um dos requisitos essenciais para o sucesso do investimento (portanto, parte da instrumentação psicológica da maioria dos grandes investidores) é a percepção de que não sabemos o que está por vir em termos de futuro macroeconômico. Poucas pessoas, ou talvez nenhuma, sabem mais do que o consenso sobre o que vai acontecer com a economia, com as taxas de juros e com os agregados do mercado. Por isso, o investidor gastará melhor seu tempo se tentar usá-lo para obter vantagens em relação aos conhecimentos possíveis, a saber, sobre setores, empresas e ativos. Quanto mais especializado for o seu foco, maior será a probabilidade de aprender coisas que os outros não sabem.

~

Há muito mais investidores que presumem conhecer os caminhos futuros das economias e dos mercados — e agem em conformidade — do que investidores que realmente os conhecem. Eles realizam ações agressivas com base nesse futuro que dizem conhecer, porém, isso não costuma produzir os resultados desejados. Investir com base em previsões mantidas de forma bastante convicta, mas incorretas, é uma fonte potencial de grandes perdas.

~

Muitos investidores — amadores e profissionais — acreditam que o mundo funciona por meio de processos ordenados passíveis de compreensão e previstos. Ignoram a aleatoriedade das coisas e a distribuição de probabilidades que está por trás dos acontecimentos futuros. Assim, optam por basear suas ações em um cenário que acreditam que acontecerá. Isso funciona às vezes — e o investidor ganha elogios —, mas não é algo consistente e, por isso, não é capaz de produzir êxito a longo prazo. Vale a pena notar que, tanto na previsão econômica quanto na gestão de investimentos, há geralmente alguém que acerta exatamente, mas raramente uma mesma pessoa acerta duas vezes. Os investidores de maior êxito conseguem acertar "razoavelmente bem" na maioria das vezes, e isso é muito melhor do que os outros conseguem.

~

Uma parte importante para fazer a coisa certa consiste em evitar as armadilhas que costumam ser apresentadas pelas flutuações econômicas, pelas dificuldades das empresas, pelas oscilações dos mercados causadas por modismos e pela credulidade de outros investidores. Não há nenhuma fórmula infalível; porém, a consciência da eventualidade desses possíveis perigos representa o melhor ponto de partida para que não sejamos vítimas deles.

~

Nem os investidores defensivos, que limitam suas perdas em um mercado em queda, nem os investidores agressivos, com ganhos substanciais em um mercado em alta, provaram que possuem habilidade. Para que possamos dizer que os investidores realmente agregam valor, temos de ver como eles se comportam em ambientes que não se mostram particularmente adequados ao estilo deles. O investidor agressivo é capaz de minimizar suas perdas em um mercado com tendência de baixa? O investidor defensivo participará substancialmente dos aumentos quando o mercado estiver em ascensão? Esse tipo de assimetria é a verdadeira expressão da habilidade dos investidores. O investidor tem mais ativos vencedores do que perdedores? Os ganhos dos vencedores são maiores do que as perdas dos perdedores? Os anos bons são mais benéficos do que os prejuízos dos anos ruins? Os resultados a longo prazo são melhores do que poderia sugerir o estilo do investidor? Esses são os atributos dos melhores investidores. Sem eles, os retornos talvez sejam resultado de pouco mais do que o movimento do mercado e o beta.

Apenas os investidores com percepção incomum podem predizer com regularidade a distribuição de probabilidade que rege os eventos futuros e notar quando os rendimentos potenciais compensam os riscos que se escondem na extremidade negativa da distribuição. Essa descrição simples dos requisitos necessários para investir com êxito (baseada no entendimento do leque de ganhos possíveis e do risco de acontecimentos desfavoráveis) contém em si os elementos que devem receber nossa atenção. Deixo essa tarefa para você, leitor. Esses elementos vão levá-lo a uma jornada desafiadora, emocionante e instigante.

Este livro foi impresso pela Gráfica Santa Marta
nas fontes Adobe Caslon Pro e Minion Pro
sobre papel Pólen Bold 70 g/m²
para a Edipro no verão de 2025.